マリオネットの罠

赤川次郎

文藝春秋

目次

マリオネットの罠

——母に　著者

第一章　館（やかた）

1

茅野《ちの》から小淵沢《こぶちざわ》にかけての一帯は、その夜、濃霧のような秋の雨に包まれていた。ここ、国道二〇号線にも雨が重い灰色の幕を降ろしている。

雨にヘッドライトを黄色くにじませながら、松本から東京へ向かう定期便の大型トラックが水しぶきを上げていた。運転手は、四十がらみの逞《たくま》しく陽焼けした男で、肉太な指は、大きなハンドルを確実に握りしめている。

「当分上がりそうもねえな」

ため息混じりの独り言だった。長距離便のトラックには交替が乗る決まりになっているが、今夜はその相手が急に腹痛を起こして、一人旅だ。

ばてる心配はなかった。体力には自信がある。だが、出発した時からつけっ放しのカーラジオの他、話し相手も気晴らしもない単調さには参った。それに加えてこの雨だ。普通でも夜の走行は昼の倍も疲れる。むろん眠気のせいもあるが、それなら二人の時は交替で、一人の時はわき道へ車を停めて、運転席の背後の寝台で仮眠すれば済む事だ。周囲の景色が間断なく移り変る昼間と違って、夜は単調で、長い。せめて、晴れて視界が開けていれば、町の灯を見て、どの辺を走っているか分るのに、こんな雨の夜は最悪だ。スピードも抑えなければならないし、そのせいで勘も狂って、目的地がいつになく遠く思える。

男は少しスピードを上げた。今は、ほとんど人家のない林の間を縫っているはずだ。この十五分ほど、すれ違う車もなかった。

「畜生！」

意味もなく悪態をついた。何か言わずにはいられなかったのだ。しかし降り続く雨は、男の気持など一向に気に止める様子もなかった。

男がそれに気付いたのは、それがライトを反射して、きらりと光ったせいだった。はっとした時には、もうそれは、トラックのずっと後方に消えていた。男は一瞬ためらってからブレーキを踏んだ。――ビニールのレインコートだ。それも目のさめるような赤だった。

男はハンドルに両手をのせて、バックミラーを見つめた。やがて雨の中から、人影がおぼろげに見え始め、それは赤いレインコートとなり、さらに、若い女になった……。

ダッシュボードの時計は、すでに午前一時半を指していた。今時、一体どこへ行くのか、しかも一人で。車の故障に違いない、と思った。次のスタンドまで、まだかなりあるだろう。乗せて行ってやるか。こんな晩だ。誰か側にいてくれれば、こっちも気が紛れる。それが若い女なら、なおさらだ。

女は赤いレインコートを着て、フードを頭にかぶっていた。傘はない。いや、荷物もなかった。雨の中を、急ぐでもなく、ごく普通の足取りで歩いて来る。

男はドアを開けてやろうとして、女がトラックの脇をそのまま素通りしてしまうのを見て唖然とした。トラックなどまるで目に入らない様子で、じっと前方を見つめたまま歩いて行く。

「何だってんだ？」

男はあっけに取られて呟《つぶや》くと、窓を降ろして、大声で呼びかけた。

「おーい！　乗らないのか！」

女は立ち止まって、振り向いた。ヘッドライトを浴びて、まぶしげに目を細めると、しばらくトラックを眺めてから、ゆっくり戻って来た。

「……さあ、乗れよ。一番近いスタンドまで十キロはあるぜ」

女は礼も言わずに乗り込んで来た。

「コートは脇に置いときな。なに、少々シートが濡れたって構わねえ」

水がしたたるコートを脱ぐと、女はシートに浅く腰かけて、背を後へと大きく倒しかけた。グレーのセーター、えんじのパンタロン、という服装に、小柄で細い身体を包んでいた。男は、彼女を二十五、六歳とふんだ。濡れて寒いのか、顔が青白い。

「毛布でも貸してやろうか？　寒いだろう」

「いいえ、結構――ありがとう」

囁《ささや》くような低い声だった。男はともかく彼女が口をきいたのでほっとして、微笑した。

「ま、寒かったら後の寝床にあるから、使いなよ」

女は何も答えなかった。

トラックが静かに雨を押しのけて動き出した。

しばらくどちらも無言だった。男が時折ちらちらと盗み見るのを知ってか知らずか、女は水滴のひしめくフロントグラスを見るともなく見ている。線のきつい、彫りの深い顔立ちだった。切れ長の眼、薄い唇、真直ぐに通った鼻筋は、外国人の血が入っているのかと思わせた。髪はつややかに湿って、長く肩へ流れ落ちている。

何を話しかけていいものやら、男は戸惑っていた。女の無表情な顔つきが、話しかけようとする気をくじかせた。

女がフロントグラスを見たまま言った。

「タバコ、もらえる？」

「チェリーだぜ」

男はジャンパーのポケットから、皺《しわ》くちゃになった吸い残しを取り出して、女に一本抜かせると、ライターで火をつけてやった。

彼女は煙をゆっくり吐き出して、シートにもたれた。やっとくつろいだ様子で、微笑さえ浮かべている。

「どこまで行くんだい？」

男が訊いた。

「別に」

「車の故障なんだろう？」

「そんなところね」

気のない返事だったが、冷たくはねつけるような口調ではなかった。

男は改めて彼女を見直した。タバコを指に、両腕を軽く組んで、いくらか物憂い様子で前方を見つめている女の姿態には、若々しさに似合わぬ、成熟した女の匂いが漂っている。男の視線が素早く女の体をなぞった。ぴったりとしたセーターが、細身の体と、胸の膨らみを忠実に描き出している。

突然、欲望が燃え立った。この前、女を抱いてから、もう何カ月になるだろう。妻と死別して、すでに四年だ。仕事で立ち寄る温泉町で、商売女を抱くことはあったが、こんなに若い女の体には縁がない。彼女が同意するとは思えなかったが、一旦燃え上がった火は消えなかった。深夜、雨の中で、他の車の影もなく、男と女と、二人きりだ。

——そうなって何が悪い？　男は思った。男と女が二人きりになれば、そうなるものと決まってるんだ。こんなか細い小娘だ。男の力に敵うわけもない。それに——そうだ、こうしてタバコなど喫《す》っている様子では、まんざら生娘でもないかもしれない。そういえば、シートにもたれる姿にも、どこか男を誘うような、含みが見えるのは、錯覚だろうか。殊更《ことさら》に正面を見据えつつ、男はたぎり立って来る欲望を意識していた。

ライトに、ちらりと、見なれた標識が浮かんだ。〈××市へ15km〉——この標識を一キロばかり行くと、よく一人旅の時、トラックを停めて仮眠を取る場所があるのを、男は思い出した。国道からわきへ入り、すぐ折れて林の中へ潜り込む。木々に囲まれて夏の最中でも涼しく、人目につかず、国道の騒音が嘘のように静かな場所である。あそこなら……。

一分足らずで決心しなければならない。男はちらっと隣の女を見る。暴れるだろうか、おとなしく言うなりになるだろうか。ハンドルを握る手に汗がにじんだ。わき道がライトの中へ今にも飛び込んで来るかもしれない。やめた方がいい。警察へ訴えでもされたら面倒だし、今さらくびになったら、どうするんだ？　だめだ、だめだ。

その時、わき道が目前に見えた。

自分でも気付かぬうちにハンドルを切った。トラックは大きくかしぐように、わき道へすべり込むと、すぐに再びカーブして林の中へのめり込んだ。

トラックがひと揺れして停まり、男がエンジンを切った時、女は初めて顔を向けた。

微笑は消えていたが、その表情に、恐怖も驚きもなかった。予想していた、とでもいった様子である。ヘッドライトを消し、車内を明るくすると、男はラジオを止めた。雨の音が急に高くなって二人を包み込んだ。

男は威嚇するように娘を見下ろしたが、彼女は平然と男の視線を受け止めた。重苦しい沈黙は数秒で終って、女は手にしていたタバコを灰皿でていねいにもみ消すと、軽く息をついた。

「――そこで？」

女は背後の寝台へ視線を投げて言った。男はほっと笑顔になって、

「ああ。寝心地も悪かないぜ」

「ならいいけど……」

寝台は色の褪《あ》せたカーテンで運転席と仕切られている。娘はカーテンを開けて、一人用の寝台を見た。

「ずいぶん狭いのね」

「充分さ。重なって寝るにゃ」

男は小声で笑った。

「先に上がるわ。いいって言うまで待ってて」

「分った」

女は、窮屈そうに身体を曲げて寝台へ這い上がると、カーテンをきっちりと端まで引

いた。男は大きく息をついて、やってみるもんだ、と思った。なに、結構あの娘も慣れてるようだし、問題はあるまい。なまじ生娘などより扱いやすい。カーテンの向こうで服がすれ合う音がして、男の欲望をかき立てた……。

「いいわ」

声に応じて、男はシートに上るとカーテンを一気に思い切り開いた。思わず息を呑む。一糸まとわぬ裸体が横たわっていた。細いが、貧弱ではない。みごとな体だった。彼女は別に手でどこを隠すでもなく、右手を体に沿ってのばし、左手を腹にのせていた。

「……たまらないぜ」

声が上ずっている。

男は寝台へ這い上がって、女の体に乗った。

彼女の足下に、脱いだ服を包んだ赤いレインコートがていねいに丸めてあったが、男はまるでそんな物には気がつかなかった。

男が息を弾ませて、女の胸に顔を埋めると、女は左手で男の首筋を撫でさすりながら、頭を載せた小さな平たい枕の下へ右手をそっと滑り込ませた。隠してあったものをつかんだ右手が、体の脇を走って男の背へ回る。音もなく、なめらかな、蛇を思わせる動きだった。男がぐっと身を乗り出して、彼女の唇をふさいだ。女の左手が男の頭を押え、右手から、すっと銀色の刃がのびる。剃刀《かみそり》をしっかり握り直すと、刃を男の首筋へ降ろす。男の重みにさからいながら、大きく息を吸い込んで、彼女は剃刀の刃を男の首筋に押しつけると、自信に溢れた外科医がメスをふるうような力強さで、真一文字に引いた。

――急に、雨が激しさを増した。木々の枝は雨の勢いで震え、囁くようだった雨音は、群衆のどよめきにまで高まった。雨のはね返りが白い水煙となってトラックを包み込む。突然、クラクションが鋭く雨を突き刺して、やんだ。後は再び、雨だけが騒いでいる。

彼女は寝台に起き上がって、運転席を見下ろした。転げ落ちながら、ハンドルにぶつかってクラクションを鳴らした男の体は、今、運転席のシートに横たわっていた。眼を見開き、口を半ば開けたまま、驚愕が劇的なデスマスクを仕上げている。その首筋がぱっくりと赤く傷口を開いていた。女は、全身に血を浴びていた。運転席の中もシートといわずカーテンといわず、天井までも、血で塗りたくられている。フロントグラスの内側を、泡立った血潮がゆっくりと流れ落ちて行く。

女は寝台から降りると、平然と男の死体を踏みつけて、ぬるぬるとした血溜りに足を取られながら、ドアを押し開けた。剃刀を男の胸の上へ無造作に投げ出すと、雨の中へと降り立つ。

雨は一層激しさを増して、アスファルトの舗装を打ち砕かんばかりの勢いである。水煙が道に低く霧のように漂って見える。

女は林の中を抜け、国道へ出て来て立ち止まった。全裸の体を、叩きつける雨にさらして、動かない。目を閉じて、空を仰ぐと、降り注ぐ雨が、全身に浴びた血を洗い流しつつ、急速に体の熱を奪って行く。彼女は激しく身震いして、しかし、なおも立ち続けた。やがて体が冷えきると同時に、体の奥底から熱気が噴き上げて来るのを感じて、彼女は大きく息をついた。微笑が浮かんだ。そしてそれはやがて、陶然と酔うが如き法悦の表情へと変って行った。

行き交う車の影もない深夜の国道のただ中に、娘は一人、全裸のまま雨を浴びて立ち尽くしていた。

2

重くたわんだ鉛色の雲の下を、一台のコロナが走っていた。雨の気配を含んだ冷たい風が、細く開けた窓から吹き込んで来て、上田修一はちょっと身震いした。秋だというのに、この陰鬱な空はどうだろう。

陰鬱といえば空ばかりではない。左右には殺伐とした雑木林が、もう何キロも続いて、気を滅入らせた。国道を行く車も数えるほどで、まるで荒涼たる原始林を走っているような気になる。

ちらりと腕時計に目を走らせて、かれこれ二十分は走らせたな、と思った。もう見えてもいい頃だ。電話の相手はどう言ったのだったか……。

「茅野駅前のレンタカーをあなたのお名前で借りておきますから、国道二〇号線を甲府方面へ走らせて下さい。最初のドライブ・インにお入りになって、そこでお待ち下されば、お迎えに参ります」

少々冷たく、事務的ですらあったが、それなりに涼しげな澄んだ声音だった。見た目もその通りならいいが。まあ余り期待しないに越した事はない。

修一は二十七歳。K大学の仏文科の研究生である。学部を卒業してから修士課程へ進み、二十五歳の時、フランスのソルボンヌへ留学した。二年間の留学生活から戻ったのが三カ月前の事だ。いまだに時折フランス語が無意識に口をついて出て慌ててしまう。つい今しがたも、駅前の雑貨屋で、安全カミソリを買うのに、C'est《セ》 combien《コンビヤン》?（いくらですか）とやって、うさんくさい目つきで見られたばかりだ。

留学といっても大した事をして来たわけではない。フランス文学の勉強などしたところで一流企業へ就職の道が開けるわけでもないのだ。修一の師である浅倉久一郎教授は彼が助手、講師、助教授、教授というコースを辿るものと信じ込んでいる様子だった。

修一が大学の浅倉教授の研究室へ帰国の挨拶に行くと、教授は例によって「お帰り」とも「向こうはどうだったね？」とも言わずに、いきなり、

「ちょうどよかった。上田君、家庭教師をやらんか？」

と、書類と本の中から大声を張り上げた。

三カ月間、住込みで、姉妹二人にフランス語の会話を初歩から教えるのが仕事だった。住込みという制約はあるにしろ、三カ月で百万円という報酬はけた外れだ。食事もむろん向こう持ちで、百万がまるまる手元に残る勘定だ。

「そんなに払うなんて、一体何をやってる家なんです？」

修一は訊《き》いた。

「金持なのさ」

浅倉教授はそれですべての説明をつけたつもりか、ひどい暑さの中でまた手元のラテン語の文献に熱中し始めた。こういう時の教授と話をするのは容易でない。修一は先方の名と住所、それに電話番号を聞き出した。峯岸という家で長野県の茅野近くの住所である。研究室の電話を借りて早速連絡すると、あの涼しげに澄んだ声が応えたという訳である。

国道の対向車線を長距離便のトラックが唸りをたててすれ違って行った。空気を引き裂く音が聞こえるような巨人の疾走だ。そういえば、この近くでトラックの運転手が殺されたのだった。もうひと月近くも前の話だが、それでも彼の恋人、美奈子は心配そうだった。美奈子は、この家庭教師の口は話が旨すぎる、と反対していたが、百万円あれば僕らの結婚資金になるじゃないか、という修一の言葉に渋々納得したのだった。

牧《まき》美奈子は修一の後輩である。今二十四歳。大学院修士課程に在学中で、同じ浅倉教授の研究室でラテン語の文献に取り組んでいる。修一が美奈子と結婚しようと思い立ったのは、――いや実質上はもう結婚したと同様の関係にまで至ったのは、そう古い事ではない。はっきり言えば、留学から戻って、この家庭教師の話を引き受けた後の事なのである。むろん、修一もゼミなどで美奈子の顔は見知っていたし、話をした事もあった。

しかし二年間の留学中に彼女の名も顔も、思い出した事がなかった。それが、あの日、峯岸家と電話で家庭教師の話を取り決めた後、相変らず本から顔も上げない教授を残し、暑い戸外へ出て、久々に大学の構内を歩いてみたときのことだった――。

図書館、生協の建物、講堂……。ここは大学紛争の時、ご多分に洩れず、全共闘と機動隊の華々しい戦闘の舞台となった所だ。修一はふっと笑みを洩らした。あの騒ぎの中で、浅倉教授は一人、研究室に閉じこもり、中世の世界に遊んでいたのだが、表へ出て来て、機動隊の装甲車が講堂の学生へ派手に放水しているのを見ると、傍にいた同僚に、「火事かね」と訊《たず》ねたのだ。今や伝説化したこの逸話を思い出して、修一はつい笑ったのだった。

「何がおかしいの？」

見れば薄汚れただぶだぶの白衣を着て、髪をもじゃもじゃにした若い女性が両腕一杯の本を抱えて彼を見ていた。

「何だ、牧君じゃないか」

「お帰りなさい、上田さん」

「何だい、その格好は」

「書棚の整理をしていたら、この始末よ。私の事見て笑ったの？」

「いや違うよ。先生のエピソードを思い出してね」

「ああ」

と牧美奈子は微笑《ほほえ》んで、「よかった。私の事笑ったんだったら、この本全部ぶつけてやろうかと思ってたの」

美奈子は明るく笑った。妙な事だが、この瞬間、初めて修一は美奈子を可愛いと思った。そして彼女を手伝って、汗だくになりながら本を図書館へ運んでやり、相変らず騒々しく、古ぼけた学生食堂で一緒に紙コップのコーヒーを飲み、美奈子が顔を洗って着替えて来るのを校門のわきでずっと待っていた。

ようやく黄昏《たそがれ》間近いキャンパスの芝生を、美奈子が急ぎ足でやって来るのを見ながら、修一はふと、彼女と結婚したらどうだろう、と思った。何もこんな時期に、という気持と、こんな時期だからこそ腰を落ち着けなければ、という気持が相半《あいなか》ばしていた。

美奈子は研究者としても優秀であった。浅倉教授も、得難い助手として、美奈子を頼りにしていた。小柄で、細身の、化粧っ気のおよそない美奈子だが、細面《ほそおもて》にくりっとした大きな目が魅力的だ。笑うと、思いがけずえくぼができて、子供のように無邪気な顔になる。

文学部を首席で卒業した才女とは、ちょっと思えない。ある女性週刊誌が〈一流大学の首席卒業者たち〉をグラビアで紹介した時、美奈子の何とも照れくさそうな顔の写真が載っていたのを修一は思い出した。

美奈子は大学受験のために秋田から東京へ出て来て以来、アパートに一人暮しだった。その点は修一も同様で、修一の故郷は九州である。ただ修一は両親も兄弟もなく、幼い頃から叔父の下で育てられてきた。上京して来たのは、進学をきっかけに自由と独立を求めてであった。

お互い一人暮しである。その日、修一は美奈子をフランス料理の店へ連れて行った。本場のフランスにいたとはいっても、〈マキシム〉に通える身分でもなく、ホットドッグやハンバーガーをパクつく事が多かったので、口が肥えたとも思えない。しかし、いずれにしろ彼には料理の味などどうでもよかった。地味すぎる灰色のワンピースの美奈子が、修一にそんなものを忘れさせてしまった。食後のコーヒーを飲みながら、修一は言った。

「僕と暮らす気はないか」

美奈子は大きな目を見開いて、何とも言えぬ顔つきで修一をしばらく眺めていた。

「――からかってるのね」

やっとの思いで美奈子が口を開いた。

「結婚なんて大体が冗談みたいなものさ」

「フランスでは、そう言って女の子をひっかけてたの？」

「いや、日本語は通じないんでね」

「人を馬鹿にして――。帰るわよ、私」

「その前に返事を聞かせてくれよ」

「だって、あんまり出しぬけよ」

「仕方ないさ。こっちも出しぬけに、そう思ったんだからな」

美奈子は笑い出した。

「——変な人ね」

「さあ、行こう」

「返事を聞かないの？」

「ノンと言わなかったら、ウイって事さ」

その後、修一は彼女を阿佐谷にある自分のアパートへ連れて行った。美奈子は何も言わずにされるままになっていた。そして次の日には美奈子は自分のアパートを引き払って、修一の部屋へトランク一つ下げてやって来た。

「確かあの辺でトラックの運転手が殺されたのよ」

美奈子は、修一の家庭教師の話を聞いて、言った。「危ないんじゃやない？　犯人はまだ捕まってないはずよ」

「別にトラックを運転しに行く訳じゃないんだよ」

「それに……教える相手の人はいくつ位なの」

「さあ、よく分らないな。……なんだ、妬《や》いてるのか」

「何しろ女性に優しいんだもの、あなたは」

美奈子は少々ふくれっ面で言った。

美奈子が心配するのも、そう理由がないわけではない。修一はスポーツマンタイプではないが、背もほどほどに高く、やや彫りの深い顔立ちの好男子だからである。美奈子は、毎週週末には東京へ帰ってくると修一に約束させて、やっと安心したようだった。

前方にドライブ・インが見えた。

東名高速道あたりのそれと違って、ちょっとした喫茶店といったところだが、真新しく、さっぱりした造りである。

駐車場に他の車は一台もない。中に入ると、主人らしいワイシャツ姿の中年の男がカウンターの奥で退屈そうに新聞を広げていた。

カウンターについた修一は、コーヒーを注文した。ここで「お迎え」を待てばいいのだ。店の主人は、のんびりと豆を挽《ひ》き始めた。

「どちらへ？」

修一は肩をすくめて、

「よく知らないんだ。ここで待ってれば、人が来る事になってる。……峯岸って家を知ってるかい」

店の主人は、ちらりと値ぶみする様な目つきで、修一を見ると、

「ここへ来て、まだ間がないんでね」

「ああ。別にいいんだ」

コーヒーの香がして来た。

「この間、この近くで人殺しがあったのをご存じですか」

「え？　ああ、トラックの運転手だったかな、殺されたのは」

「そうです。警察が大勢来ましてね、大変でしたよ」

「犯人は捕まったのかい」

「いいえ」

「強盗なんだろうな」

「何も盗まれちゃいなかったそうですよ。剃刀みたいなもんで首をかっ切られて、すごい血だったとか」

「ぞっとしないね」

修一は身震いして見せた。

「しばらくは戸締りを厳重にしたもんです。ま、もう忘れられてますがね。でも、犯人がどこかを平気で歩いているってのは確かですからね、あまりいい気分じゃありませんや」

「全くだ」

修一は上の空だった。出迎えに来るのはどんな女だろうか、とぼんやり考えていたのだ。

店の主人は、修一のカップに熱いコーヒーを注ぎながら、だしぬけに、

「さっき峯岸さんの事をおっしゃいましたね」

「え？」

修一は一瞬、戸惑って、「ああ、言ったよ」

「いらっしゃるんで？」

「まあね。知ってるのかい？」

主人が口を開きかけた時、新しい客が入って来た。

一瞬、修一にはその男が、戸口を塞いでいるように見えた。実際には決して大男というわけではなく、長身で、立派な体格だが太ってはいない。それでいて大きく見えるのだ。年齢は五十代の半ば、という所だろうか。

修一は初め、その男を外国人かと思った。年齢の割に体つきや姿勢が若々しく、機敏な印象を受けたからだ。眼鏡もかけない陽焼けした顔は艶《つや》があり、白髪が豊かに撫でつけられているのも、日本人には珍しい。一目で英国物と分るスーツを着て、それが少しも窮屈でなく身についているのは、恐らくヨーロッパに暮らした事があるのだろうと思わせた。

男は店の奥のテーブルに着いて、主人に声をかけた。

「スパゲティとコーヒーを頼むよ。それから新聞を見せてくれないか」

主人が新聞を男に渡して戻って来ると、

「さっきの話だが……」

と、修一は声をかけた。

「ああ、やっぱり降って来ましたね」

店の主人は表を見てそう言うと、修一に背を向けて、フライパンをあたため始めた。さっきの話をしたくない、という意図がはっきり分る。なぜだろう。今入って来た男のせいか。修一はもう一度、奥のテーブルへ目をやった。男はまるで修一の存在など目に入らぬ様に、新聞を広げていた。不思議な男だ。大物政治家といっても通りそうな風格があって、ここには、およそ場違いに見える。

外では雨が本降りになっていた。どれ位待つのかな、と修一は腕時計を見た。午後四時を少し回っている。列車の時間は連絡してあるから、もう来てもいい頃だ。残ったコーヒーを一気に飲みほして、息をついた時、入口の扉が開いた。

まず女の顔が目に入った。切れ長の目、薄い唇、陶器のようなつやのある青白い肌、ほとんど表情らしいものは、そこからは窺《うかが》えない。あの電話の相手だな、と修一は直感した。美しい、しかし生きて動いているとは思えない美しさだ。三十五、六歳にはなっているのだろうが、年齢とか、女らしさといったものとは全く無縁の女性のようだ。女は襟の大きな黒いエナメルのレインコートをまとって、右手で扉を開けたまま支え、左手はポケットへ深く突っ込んでいた。

「上田修一さんですね」

澄んだ声が言った。

「そうです」

「峯岸紀子です。遅くなりまして、失礼しました」

「いや、とんでもない」

「参りましょう。どうぞ」

料金を払いながら、修一はちらりと奥のテーブルの男を見た。同時に男が新聞に目を落とした。自分を見ていたのだ、と修一は思った。

峯岸紀子は、赤いアルファ・ロメオに修一を案内した。雨を避けて二人は急いで車に乗り込んだ。

「僕の車はどうしましょう？」

「後で家の者に返させますから」

紀子は車をスタートさせた。

車は間もなく国道を外れて、細い林の間の道を辿って行った。紀子は黙って前方を凝視していた。無口なのかな、と修一は思ったが、そればかりでもあるまい。事実、道はかなり曲りくねって、一寸運転を誤れば立木に車をぶつけてしまいそうである。特に雨の中で、視界はかなり悪い。だが、紀子の運転は危な気なく、反射神経も鋭かった。走り慣れてもいるのだろうが、いい腕だ。

「――みごとな運転ですね」

道がいくらか直線になった時、修一は言ってみた。紀子は軽く微笑んだだけで、何も答えなかった。外は大分暗くなって来た。修一はずいぶん寂しい所だな、と思った。殺人があったというのはどの辺なのだろう。

紀子が前方へ目を走らせて、

「あれが家ですわ」

と言った。

やがて灰色の雨の薄衣を通して、分厚く重い石塀に囲まれた二階建のレンガ造りの洋館が、姿を現わした。黒々と横たわるその姿はどこか沈鬱で、荘重で、この煙るような雨の中では幻想的ですらある。レンガの壁面を無数の蔦《つた》が這っているのが、まるで乱れた髪がからまり落ちているかのようだ。付近には人家らしいものの影はない。こんな林の奥に、これほどの館があろうとは、誰も考えもしないに違いない。

門の扉は開け放たれていた。車は門柱の間を抜けて前庭へ滑り込むと、中央に小さなアフロディテの像が立つ円形の噴水を回って、玄関前の車寄せへと乗り上げた。玄関から屋根が車寄せの上へ張り出しているので、車から降りても濡れる心配はない。

「どうぞ」

車を降りると、紀子が玄関の大きな扉の方へ手を振ってみせた。修一が歩み出ると、待ち構えていたように、扉が内側へ開いた。中から現われたのは、修一よりも頭一つは大きい、がっしりした体格の男だった。頭が禿げ上がっているのを見ると、五十歳にはなっているだろうが、細長い無表情な顔には老いを感じさせるものはなく、およそ似つかわしくない黒の背広に包んだ身体は大変な〈力〉を思わせた。ちょっとしたモンスターだな、と修一は思った。そういえばフランケンシュタイン役者の何とかいう俳優に似ていないでもない。

「お帰りなさいませ」

モンスターが紀子に言った。

「ただいま。こちらが上田先生よ」

「お待ちしておりました」

「どうも……」

「島崎さん、先生の車がドライブ・インに置いてあるから駅へ返しておいてね」

「はい」

島崎と呼ばれた男が、修一の方へ向き直った。「ではキーをいただけますか?」

修一がポケットからキーを取り出して男へ渡すと、紀子が、

「どうぞ、居間の方へ」

と、先に立って歩き出した。

外国映画のセットに迷い込んだような気がした。玄関を入るとホールがあり、その奥に幅の広い階段が二階へゆるくカーブを描いている。ホールのほの暗い照明は、シャンデリア、傍には背丈ほどもあるような時代物の柱時計、階段の下には青銅のギリシャ風の彫像……。おそらくこの屋敷の主は、海外で長く生活していた人なのだろう、と思わ

せる調度だった。

ホールを左へ入って、これまた純英国風に統一された居間へ、紀子は修一を案内した。厚い絨毯を踏んで、ソファへ腰を降ろす。驚いた事に、大理石の暖炉には、本物の火が燃えている。

「暖炉とは珍しいですね」

「薪の火っていいもんですわ。暖かさが違います。もちろんセントラル・ヒーティングにすればいいんですけど、何しろ古い家でしょう。改築も大変ですから……」

「いや、しかし、いい家ですね。僕はこういう古風な館がとても好きなんですよ」

「恐れ入ります」

紀子は微笑んだ。コートを脱ぐと、中間色の淡いチェックのスーツを着ていた。

「――さ、では仕事のお話を済ませてしまいましょうか」

紀子は大会社の有能な社長秘書を思わせる手際のよさで、事務的に話を進めた。条件はまず修一の希望通りだった。授業は午前十時から十二時、午後は一時から三時半。これだけの時間で三カ月にフランス語会話をマスターさせるのは無理だとしても、能率良くやれば、かなりの進展は期待できる。授業時間は進み具合を見て延長すればよい。それ以外は、修一は何の仕事もない。二階の一室が与えられて、何をしていようと自由である。土、日曜は授業は休む。

「私と妹は週末には、ちょっと用がありますの。お一人ではご退屈でしょうけど」

「は……。あの、レンタカーですが……週末だけ借りられるでしょうか」

「あら、車がお入用なら、ここのをお使い下さい。ガレージにスカイラインがありますから」

「しかし、それではお困りでしょう」

「いいえ、今は使っていませんの。あとで島崎に言って、手入れさせておきましょう。いつでもご自由にお使いになって」

「どうも……。こう至れり尽くせりでは……」

「そんな事、気になさらないで。こちらが無理にお願いしていらしていただいたんですもの、当然ですわ。この辺はドライブには割合いい所があるんですの」

「いや、実は東京へ帰りたいんです。土、日だけ。日曜の晩には戻りますが」

「毎週ですか？」

紀子がびっくりした様子で言った。

「はあ」

「あら」

紀子が楽しそうに笑って、「素敵な方がいらっしゃるんですの？　そうでしょう？もちろんご自由にしていただいて結構ですわ」

「恐縮です」

修一はちょっと苦笑しながら頭をかいた。

ドアが開いて、小太りな娘が紅茶のポットとカップを載せた盆を持って入って来た。家に合わせて、外国映画の小間使そのままのスタイルをしている。田舎育ちらしい血色のいい顔や、頑丈そうな体つき、見るからに純朴そうな娘である。

「住み込みのお手伝いの昌江さんです。細々《こまごま》した用事でもどうぞ遠慮なくおっしゃって下さい」

「よろしくお願いします」

訛《なまり》のある口調で言って、昌江はひょいと頭を下げた。

「――ところで」

修一は紅茶を一口飲んで、

「ご両親はどちらに？」

「あら、お聞きになっていらっしゃいません？」

「何をですか」

「母はまだ私たちが子供の頃に死にました。父は先年、ヨーロッパで飛行機事故に遭いまして……」

「それは……失礼しました。何も聞いていなかったので」

「いいえ、構いませんわ。お気になさらないで」

「では、このお宅には、今どなたがお住みなんですか」

「私と妹の芳子です。それに今の昌江さんと、先程玄関でお会いになった島崎さん。力仕事や、色々な雑用をやってくれます。車の運転手も兼ねていますの」

「あのアルファ・ロメオですか？」

「いいえ、もう一台ベンツがあります。もっとも私と妹だけになってからは余り使いませんが」

「こんな事を伺っては失礼かもしれませんが……」

「何でしょう」

「いや……この屋敷といい、車といい、何とも大したものだと……。お父さんはどんな仕事をなさっていらしたんですか？」

紀子は笑顔になって、

「あなたはフランスにいらしたんですから、こんな家はいくらもご覧になったでしょう」

「僕はカルチエ・ラタンとサン・ジェルマン・デ・プレからあまり出ませんでしたからね」

「父は美術商だったんです。ヨーロッパ、南米、中近東、どこへでも出かけて行きましたわ。かなり古美術や絵画には目のきく方だったんです。私が子供の頃は東京に住んでいたのですけれど、戦争中、戦災を逃れてこの館を建てて移って来ましたの」

「なるほど」

と修一は肯《うなず》いた。

「幸い、事業はかなり巧く行っていましたから、私たちがこの生活を維持していくくらいの財産は何とか遺してくれました。それに父の仕事は今、私が引き継いでいますの。といっても、ずっと規模も小さくしまして、趣味程度ですが」

「羨しいようなお話ですね」

修一がため息をついた。「で、フランス語を勉強されるというのは、フランスへ仕事でおいでになるつもりなんですか」

「ええ、まあそんなところです」

紀子は曖昧に肯いて、「そのうち、という事ですけれど」

と付け加えた。

不思議な女だ、と修一は思った。微笑の奥で、何を考えているのか、分らない所がある。

「ああ、妹ですわ」

紀子がソファから立ち上がった。「芳子、上田修一さんよ」

修一は立ち上がってドアの方を見た。

姉の紀子とはおよそ対照的な、グレーのセーターに黒のスカートという修道女のような服装の女性が立っていた。二十七、八歳というところか、小柄で、ややずんぐりした体格。丸顔で髪は無造作に後で束ねてある。かなり度の強い眼鏡をかけているせいもあって、無愛想な表情が一層気難しい印象を与えた。それにしても、およそ似通ったところのない姉妹だ、と修一は内心驚いた。

「フランス語はかなりお出来になるんでしょうね」

かん高い声で、いきなり芳子は修一に訊いた。

「二年間、留学していましたからね」

「三カ月で話せるかしら」

「日常の会話ならば、こなせますよ」

「そう願いたいわ」

そこへ小間使の昌江が顔を出した。

「お夕食の仕度ができました」

ホールを横切って、玄関から見て右手が食堂になっていた。ここも例外ではなく、英国風の調度である。細長いテーブルに銀の食器が並んで、背の高い、彫刻を施した椅子が三つ。大きなテーブルには少々寂しい感じだった。壁に一枚の裸婦のデッサンが掛けられている。修一が眺めていると、芳子が言った。

「ルノアールのデッサン。本物よ」

「芳子」

紀子がちょっとたしなめるような口調で言った。「フランスにいらした方にそんな事言ったら、却《かえ》って恥をかくわよ」

修一は黙って微笑して席に着いた。パリに二年いて、ルーヴルへ行った事がない、などとは言いたくなかった。

食事もすばらしかった。料理は通いの料理番の女性がいるのだ、と紀子は言って、

「フランス料理にしてみましたけど、本場とは違うでしょうから、お口に合うかどうか」

「いいえ、おいしいですよ」

食事を終えるともう九時近かった。

「お疲れでしょうから、お部屋へご案内させますわ」

昌江について修一は長い階段を上った。上りきった所から左右へ廊下が真直ぐに走って、ドアが並んでいる。ホテルのような造りだ。

「ずいぶん部屋があるんですね」

「以前はお客様が大勢いらしてましたから。でも今はほとんど閉めたきりです」

修一は奥まった一室へ案内された。予想に違わず広々として、クラシックな部屋である。正面の窓には重いカーテンが下がり、左手に大きな木の寝台。右手にソファ、書き物机があり、奥に小さなドアがついている。

「あのドアが浴室でございます」

昌江が言った。「何かご用がありましたら、いつでもお呼び下さい」

至れり尽くせりとはこの事だ。一人になって修一は思った。島崎という男が持って来ておいてくれたスーツケースを開けて、必要なものを取り出す。ふと思いついて窓へ寄

ると、カーテンを少し割って外を覗《のぞ》いて見た。

暗い雨が窓を叩くばかりで、何も見えない。ただずっと遠くに、木々の梢が槍の穂先のように浮かんで見えた。

こうして修一の、峯岸家での日々が始まった。

3

翌朝、目を覚ますと、もう九時になっていた。初日から授業に遅刻しては、と慌てて寝台から降り立つ。この寝台の深々とした素晴らしいクッションと、分厚いカーテンが外の明るさを完全に遮《さえぎ》ってしまったせいで寝過ごしたのだろう。自分のアパートならば、薄いカーテン越しに入る朝日と、隣室の物音で、いやでも叩き起こされてしまうところだ。

窓の端の紐を引いてカーテンを開けると、急に陽射しがなだれ込んで来て、一瞬、頭がくらくらしたほどだった。昨日の雨が嘘のような、上天気である。外を見て、目を見張った。昨夜は雨と闇のせいで全く気付かなかったが、裏手に大きな池が広がって、朝の光をきらきらと反射していた。その向こう側が林になっていて、昨夜、木立の先端だけがずっと遠くに見えたのは、そのせいなのだ。木々の合間を通してこの館を囲んでいる高い石塀が見えるがその向こう側にはまたさらに深い林が広がっている。

急いで顔を洗い、ひげを当ってさっぱりする。下へ降りると九時半になっていた。食堂へ顔を出すと、昌江が待っていて、

「おはようございます。どうぞ」

と、椅子を引いてくれる。

「あの……お嬢さん方は？」

紀子と芳子を何と呼んでいいか分らず、修一は少し迷ってから言った。

「はい、居間か書斎においでだと思いますが」

昌江はフランスパンとナチュラルチーズ、オレンジジュースを盆に載せて運んで来た。冷たいジュースが体中を目覚めさせるようで、爽快そのものの気分だ。食後に熱いコーヒーを飲んで、昌江に礼を言うと、居間へ向かった。

淡いブルーのニットスーツを着た紀子がソファから微笑みかけた。

「よくお休みになれまして？」

「もっと早く起きたかったんですが、ベッドの方が放してくれなくてね。芳子さんは？」

「書斎で待ってますわ」

「ああ、それじゃ始めましょう。テキストはこれから揃えればいいですから」

「お願いしますわ」

書斎へは居間を通り抜けて行かねばならない。書斎といっても、本に埋もれた暗い部

屋ではなく、書棚は片側の壁面だけで、反対側は裏の芝生へ出るテラスに面したガラス戸になっており、光が溢れんばかりに射し込んでいる。部屋自体も居間より広く、ソファや長椅子がゆったりと間隔を置いて並んでいる。

芳子は昨日と同じ服装でソファに坐っていた。ちょうど十時だ。

「さて、始めましょうか」

修一は言った。

紀子と芳子が長いソファに、修一はテーブルを挟んで斜め前の一人掛けの椅子に坐った。今までにも何度も家庭教師をした経験はある。まあ、こんな豪華な雰囲気ではなかったが。

「まず始めに、よくご存知の言葉から行きましょう」

修一はテーブルに用意された白紙にサインペンで、Je《ジュ》 vous《ヴー》 aime《ゼーム》. と書きつけた。

「それなら分るわ」

芳子が言った。「愛してますってことでしょ」

「そうです。ところで、この文章にはフランス語の特徴が色々と含まれているんですよ。英語の I love you と比べてみましょう。I が Je に当り、love は aime、you は vous です。まず語順が違う事が分りますね。英語は主語―述語―目的語になっているのに、フランス語は主語―目的語―述語になっています。これが一つ。そして発音の点で言いますと、vous《ヴー》 ですが、最後の s を読んでいません。フランス語は原則として最後の子音を発音しません。ところが、vous《ヴー》とaime《エーム》のように前の単語が子音で終り、次が母音で始まりますと、前のsを読んで、次の頭の母音とつなげて、vous aime《ヴーゼーム》と発音します。これはリエゾンといって、フランス語を聞き取る上で、一番やっかいな問題の一つです……」

午前中は瞬く間に過ぎた。

昼食は書斎のテラスで摂った。風もなく、冷たい空気もむしろ快い感じだった。芝生は二階から見えた池と館の間に帯状に続いていて、広くはないが適当な散歩道になっている。

「まだゆうべの雨で草が濡れていますから、今はお歩きにならない方がいいですわ」

「敷地はずいぶん広いんですね」

「かなりありますわ。迷子になるほどではありませんけど。あの木立の奥には小さな四阿《あずまや》があります。いつかご案内しますわ」

全くこいつは映画の世界だ、と修一は思った。

午後の授業は専ら挨拶の練習に費やして、終った。

「ありがとうございました」

紀子が微笑んで、「一息ついて下さい」

居間で一休みしていると、小間使姿の昌江が時間を見計らって、紅茶を淹《い》れて運んで来る。銀のティーポット、クラシックなカップは、こういった品とは縁の薄い修一でも、ほれぼれとするほど色調もデザインも典雅そのものであった。

「――素晴らしい味ですね、この紅茶は。それにこのカップ。いや、僕はこういう物に詳しい訳じゃありませんが……」

「お気に召しまして？　フォートナム＆メイスンのロイヤルブレンドですの。カップはロイヤル・ダルトンの品です。父がとても気に入っていましたわ」

紀子が言うと、こんな言葉が少しも嫌味を伴わない。

「私たち、三人ともみんな紅茶党なのよね」

芳子が言った。修一は、ふっと妙な気がした。芳子が修一まで含めて、「私たち三人」などと言うのが、何か不自然に感じられたのだ。

「……あの」

入口に昌江が困った様な顔つきで立っていた。

「どうしたの？」

紀子が訊いた。

「お客様ですけど……」

「どなた？」

昌江の背後から、低い男の声が答えた。

「お邪魔しますよ」

修一の、カップを持つ手が止まった。昌江を押しのけるようにして入って来たのは、昨日、ドライブ・インに現われた、あの初老の男であった。修一は、男がこの部屋の雰囲気にぴたりとはまり込んでいるのに驚いた。

「あなたですの」

紀子がやや表情を固くした。「今度は何のご用でしょう?」

男は答えなかった。修一を物珍しげにじっと眺めている。

「こちらの方はどなたでしょうかな? ご紹介いただけませんか」

憶えているくせに、と修一は思った。まるで初めて見るようなふりをしている。

紀子は少しためらってから、仕方なく、といった様子で、

「家庭教師に来ていただいている上田修一さんです。こちらは……」

「初めまして」

男が遮って言った。「警視庁捜査一課の小林と申します」

刑事か。修一は男を頭から足先まで、素早く一瞥《いちべつ》した。

「家庭教師とおっしゃいましたな」

「はあ」

「何を教えていらっしゃるので?」

「フランス語ですが」

「ほう、それは素晴らしい!」

男は大げさに驚いて見せた。「エレガントですな、フランス語というやつは。私も昔、フランス映画に夢中になったものです。『巴里祭』『舞踏会の手帖』『商船テナシティー』……。いや全く、フランス語の響きというのは、わからずとも、聞いているだけで耳に快いものですからな。La《ラ》 vie《ヴィ》 en《アン》 rose《ローズ》（バラ色の人生）！」

「はあ……」

「警部さん」

紀子が冷ややかな口調で割って入った。「何かご用がおありでしたら、伺いますわ」

「これは失礼しました。いや、用といって特別に目新しい事でもないのです。前にも申し上げた様に、誰か見慣れない人間を見かけたとか、何か思い出された事でもないかと思いまして」

「もうそれは以前お答えしたはずですわ。いくらこの邸《やしき》が広いといっても、バッキンガムほどはありません。見知らない人間がどこかへ隠れる事など不可能ですわ」

「そうでしょうとも、それはよく承知しております。しかし何分このお宅は女の方ばかりでいらっしゃる。運転手といっても住いは別棟ですし、やはりよほどご注意いただかないと……」

「ご心配なく、自分の身を守る事ぐらいできますわ」

「なまじの男性よりもね」

芳子が口を挟んだ。

「それに」

紀子が続けて、「今はこちらの上田さんに、土日以外は泊り込んでいただいておりますから、何も危ない事はありません」

「大体、危ない事なんて起こりっこないわよ」

「いやいや、お嬢さん」

小林は首を振って、「殺されるだろうと予想して殺される人間などいないのですよ。みんな信じ込んでいます。自分だけは大丈夫だろう。自分だけは別だ、とね。それが間違っていると気付いた時には手遅れなのです」

「ご忠告はありがたく拝聴いたしましたわ」

紀子はきっぱりと言った。「他にご用がなければ、お引き取り願えませんかしら」

「いやいや、とんだお邪魔をいたしました。――上田さん、でしたね」

「はい」

「授業の邪魔をして、誠に申し訳ありませんでした」

「いいえ……」

「では、何か変った事がありましたら、すぐにご連絡を」

紀子はその言葉を黙殺した。小林は少しも急ぐ様子もなく、ていねいに一礼して居間を出て行った。

「何となく得体の知れない人ね。メフィストフェレスってところ」

芳子が言った。いささか面白がっている様子である。

「一体何事なんですか、刑事が来るなんて」

紀子は嘆息して馬鹿馬鹿しいといった風に手を振った。

「この前――もうひと月近く前ですけど、定期便のトラックの運転手があの国道沿いで殺される事件がありましたの」

「ああ、知っていますよ」

「そりゃあ、もの凄かったたって話よ」

芳子が口を挟んだ。「見に行けばよかった」

「馬鹿なこと言わないで。近くって言っても、ずいぶん離れているんですのよ」

「あの刑事はそれを調べに来てるんですか」

「この辺は人家が少ないでしょう。一軒ずつ訪ねて歩いたらしいんです。そんな事でもするしか能がないんでしょう。で、ここにも来たんですが、何ですか、それ以来何度もやって来て……」

「なぜなんです？」

「見当もつきませんわ。いつも訊くことと言ったら、『何か変った事は』『誰か怪しい人間は』、と、これだけなんですもの」

「妙ですね。……それにあの男、警視庁の人間だと言いましたね。ここは長野県でしょう。どうして東京から……」

「何となく、強引で感じの悪い男でしょう」

紀子はやや苛立《いらだ》っているようだった。

居間を出て二階の部屋へ上がりかけた修一は、夕食まで本を読むのに、何かつまむ物を、と思い直して、食堂へ足を向けた。食堂を通り抜けて、奥の調理場へのドアを開けると、修一はぎょっと立ちすくんだ。目の前に、帰ったはずの小林が立っていた。

「あなたでしたか」

小林は驚いた様子もない。

「ここで何をしてるんです」

「水を一杯、と思いましてね」

「お帰りになったものとばかり思ってましたよ」

「いや、しかし広い屋敷ですなあ。そう思いませんか。この台所なんか、あなた、私のアパートと同じ位の広さですよ。いやはや、刑事稼業も苦労の割には報いられる事はありませんでね……」

「紀子さんが面白く思われないと思いますがね」

「いや、もう退散しますよ。見るものは見ました」

「何の事です」

「では、今度こそ、失礼しますよ。お見送りには及びません」

小林は、修一の傍をすり抜けて食堂を通り抜けて行こうとした。

「警部さん」

修一が声をかけた。小林が黙って振り向く。

「あなたは」

修一が腕組みをしながら言った。

「フランスにいらした事がおありですね」

「私がですか？」

小林は大仰に目を丸くして、

「警察勤めの安月給ではフランスどころかグアムだって何年計画、という所ですな。一体なぜそんな事をお考えになったんです？」

「いいえ、ただそう思っただけです」

「そうですか」

小林はちょっと興味ありげな目で修一を見つめてから「では、これで」と、軽く会釈した。

修一は小林が行ってしまうと、何となく重苦しい気分になっている自分に気付いた。

小林がフランス、それもパリにいた事は間違いない、と思っていた。さっきの La《ラ》 vie《ヴィ》 en《アン》 rose《ローズ》 の発音の見事な事、それも普通は rose の r《エル》を喉の奥にひっかけて発音するのだが、パリでは喉の奥をぐっと狭くするだけで、ひっかけずに発音する。それがパリ風とされているのである。小林はパリジャンそこのけの「粋な」発音をしてみせた。日本で学んだだけであゝ行くものではない。そもそも、あの威圧されるような風格は、ただ者とは思われない。それにしてもトラック運転手殺害と、この峯岸家が、どうつながるというのだろうか……。

修一は調理場をゆっくりと見回した。大きな食器戸棚、広々とした調理台。しかし今はまだ料理番が来ていないので、整然と片付けてあるだけだ。調理台に銀器の皿やカップが重ねてある他は目につくものもなさそうに思えた。あのメフィストフェレスは、一体何を見て行ったのだろう。

修一が峯岸家へやって来たのが火曜日だったので、水、木、金と三日間授業をしてから、初めての週末がやって来た。授業の進行は至って順調で、この分なら、三カ月でかなりの所まで進めそうに思えた。紀子も芳子も、まずは模範的な生徒で、呑み込みも早く、発音も巧みにこなした。元来がこういった西洋趣味の中で育って来たせいか、かなりフランス語にも親しんでいるのであろう。

最初の土曜日、修一は館の横手にあるガレージから島崎が手入れしておいてくれたスカイラインを乗り出した。ガレージは車五台分のスペースがあって、今はメルセデス・ベンツと紀子のアルファ・ロメオが置いてある。芳子は車の運転はしないとの事だった。なぜやらないのかと修一が訊くと、芳子はふんと軽蔑するように鼻を鳴らして、「車なんて野蛮人の乗り物よ」と言った。

修一は昼過ぎにはK大学のキャンパスにスカイラインを乗り入れた。構内に車を駐め、外へ出ると、どこかで自分の名を呼ぶ声が聞こえたような気がして、きょろきょろと周囲を見回した。

「ここよ！」

見れば、ずっと離れた研究棟の屋上から、白衣の美奈子が手を振っている。自分をずっと待っていたのだろう。こっちも手を振ってやると、美奈子が駆け出すのが見えた。五階建の古ぼけた建物の入口まで来ると、中から階段を駆け降りる足音が聞こえ、美奈子が飛び出して来て、いきなり彼に抱きついて来る。

音楽でもほしい所だな、と思いながら、修一は美奈子を固く抱き締めて、接吻した。二度と離すまいとするかのように、すがりついて来る美奈子に、修一はいささかたじろぐほどだった。

しかし、実際美奈子にしてみれば、突然の求愛から同棲にまで行ってしまったのだ。こんな状態が続くものなのかと不安なのに違いない。三、四日の別離でも、途方もなく長く感じられただろう。

「本当に帰って来たのね！」

美奈子が言った。

「当り前じゃないか。信じてないのかい」

「そんな事ないけど……。一時間以上前から、屋上で見てたのよ。ね、元気？　体の具合悪くないの？」

「よせよ、おふくろでもあるまいし」

修一は笑って、「見た通り元気さ」

「電話もかけて来ないし、病気でもしてるのかと思って……。心配してたのよ」

修一は、美奈子のちょっとすねた顔を見て、これからは、毎晩でも電話してやろうと思った。

「仕事済んだの？」

修一が訊いた。

「ゆうべ十二時までかかって、今日の分までやっちゃったの」

「頑張ってるな」

「今日、ゆっくりできると思って」

「じゃ、ともかくその白衣を着替えて来いよ。銀座にでも出よう」

「あら！　豪勢ね」

「前払い分に十万円もらって来たんだ」

「でもそれは貯めるんじゃなかったの？」

「いいさ、初めくらいは」

「だめね。そんな事じゃ、貯まらないわよ」

そう言いながら、美奈子の声も弾んでいた。

「じゃここで待ってるよ。車はあそこに置いて行こう」

駆け出して行く美奈子を見送って、修一は可愛い奴だ、と思った。

明るいピンクのセーターに空色のスカートの美奈子は、別人のように華やかに輝いて見えた。二人は当り前の恋人たちの様に、腕を組んで人波にもまれながら銀座を歩き、話し、笑い合った。映画を見て、食事をする。勉強以外興味がないように見えた美奈子が、トリュフォーの映画のファンだと知って修一は驚いた。ソルボンヌでトリュフォーの講演を聞いた事があったが、およそはっきり物を言わない気の弱そうな男だったと修一が話すと、美奈子は「繊細ってものよ、それは」とやり返した。修一には美奈子が「あの女優の衣裳、素敵だった」とか、「あのセリフ、洒落《しゃれ》てるわね」とか話すのを聞いて、何となく不思議な気がした。彼女も白衣を着ていないときは、ただの女なんだ、と今さらのように考えていた。

阿佐谷の駅で降りて、アパートまで、のんびりと歩きながら、修一は言った。

「勤め口を捜さなきゃな」

「学校に残らないの？」

「まだ決めていない。君と結婚するのに、大学に残っていたら、いつになるか知れやしない」

美奈子は少し離れて目を伏せたまま囁くような声で、

「私のせいで……研究生活を諦めるのなら……私……」

「いや、そうじゃないんだ」

修一は笑って、「もともと自分が研究生活に向いているかどうか自信はなかったのさ」

美奈子は急に修一の腕を取って、彼の肩に頰をすり寄せると、

「今はよしましょう、その話」

と言った。修一は黙って一方の手で美奈子の髪をすいてやった。美奈子は深く息をつくと、

「早くアパートに帰りましょう」

と呟いた。

数分でアパートだった。二階建モルタル造りの安アパートだ。修一の、いや二人の部屋は二階の取っつきだった。中へ入って明りがつくと、修一は目を見張った。見違えるばかりに整然とすべてが片付けられて、カーテンも新しくなり、壁まで明るい水色に塗りかえてあって、一瞬まぶしいほどの明るさだ。あのむさ苦しかった六畳一間が、これほど変ってしまうとは、信じられないようで、しばし修一は呆れて立ち尽くした。

「——気に入った?」

美奈子がおずおずと訊いた。

「え? ああ、もちろんだよ。君は魔法使いだな」

美奈子は嬉しそうに微笑んだ。

気がつくと、床《とこ》が敷いたままになっている。いや、寝るばかりにきちんと敷いてある

のだ。修一が問うように振り向くと、美奈子は見る見る首筋まで赤くなって、

「疲れてるかと思って……すぐ休むかなと……」

「すぐ休もうか」

「ええ……」

修一はじっと美奈子を見つめて立っていた。美奈子は部屋の隅へ行き、セーターとスカートを脱いで、スリップ姿になると、修一の方を見た。修一が微笑みかける。美奈子は修一に背を向け残りの物を全部脱いで、きちんとまとめて置いた。そして裸のまま、顔を伏せて消え入ってしまいそうな様子で立っていた。

修一は動こうとしなかった。

「ね……」

美奈子が言った。「どうするの？　……私……」

言い終えぬうちに美奈子の裸身は修一の重みを乗せて床に広げられていた。それからの一時間は美奈子にとっては初めて経験する、めくるめくような陶酔の時間だった。彼に体を与えた夜には全く知らなかった、燃え立つような快感に我を忘れた……。

「――明りがついてたのね」

美奈子が天井をまぶしげに見上げて、「気が付かなかった」

「カーテンが閉まってる。大丈夫さ」

美奈子は肩で大きく息をついた。充ち足りた微笑がその頬にえくぼを作った。もうあ

どけないだけではない、艶然たる魅力を湛《たた》えたえくぼだ。

「カーテンの端が少し開いてるわ」

「見えやしないよ」

「でもいやよ、やっぱり」

美奈子は立って行ってカーテンを引こうとして、ちらっと表を覗《のぞ》いた。

「あら」

「何だい」

美奈子の裸身を眺めていた修一が訊いた。

「ううん、何でもないの」

美奈子はカーテンをきちんと閉めると、「表に立ってた男の人、何だかこっちの窓を見てたみたいだったから」

「まだいるの？」

「私が覗いたら歩いて行っちゃったの」

「どんな男？」

「暗くて分らなかったわ。ここの表って暗いのね。街灯でも立てればいいのに」

「立つ事にはなってるようだがね」

「お役所は呑気ですものね」

美奈子は肩をすくめて、「でもきっと何でもないのよ今の人。通りがかりでしょ」

　二人は服を着ると、紅茶を淹れて飲んだ。久しぶりの日本製の紅茶は修一の口には妙に苦かった。美奈子は、いつもながらの、てきぱきとした動きを取り戻していた。研究室で書類を整理しているのと少しも変らない。それでもどことなく修一の目には人妻然とした落ち着きが出てきたようにも見えた。

「何だか腹減ったな」

「お茶漬でも食べる？」

「いいね、頼むよ。フランス料理には少々うんざりしてたんだ」

「お茶碗も新しいの買ったのよ」

　美奈子は台所に立って行って、戸棚から、夫婦《みようと》茶碗を出して見せた。

「いいでしょ、これ？」

「うん」

　肯きながら、修一は、ふとあの小林という警部を思い出した。あの男はあの調理場で何を見て行ったのだろう。

　二人は熱いお茶漬をかき込みながら、この三日間の事を話し合った。だが修一は小林の事は黙っていた。余計な心配をさせてはという思いもあったが、何となく口に出したくなかったのである。

「お客はよく来るの？」

　美奈子が訊いた。

「この部屋かい？　めったに来ないよ。僕を追いかけて、パリジェンヌがやって来るかもしれないがね」

「そしたら叩き出してやるわ、私」

「友だちが来ても、今までお茶一つ出さなかったんだけど、今度からはそうも行かないな」

「あら、でもお皿もお茶碗もないのよ」

「安物を買ってくりゃいいさ」

窓の外でこっちを見ていた男は、もしかして、小林の配下の人間かもしれない。まさか！　修一は自分で打ち消した。この俺に何の関係があるんだ。

「じゃ明日、少しそういう物を買いに行きましょうか」

美奈子が言った。「スーパーで買えば安いわ。お皿、お茶碗、湯呑み……。後で一覧表にしてみましょう」

皿か。修一はあの峯岸家の銀器を思い出した。白く、渋い光沢を放った銀器のみごとだったこと……。修一のはしが止まった。

「そうか」

「なに？」

「いや、何でもないんだ」

あの調理場で小林が見たものは、あれだったのだろうか。大皿、小皿、カップ、スープ皿……。すべてが、四つずつ重ねてあった。確かにそうか？　確かだ。コーヒーカップが四つ、角盆に載っていたのをはっきりと憶えている。四人分の仕度だったのだ。修一、紀子、芳子、そして……？　島崎でも昌江でもありえない。料理番の女であるはずもない。ではもう一組は誰のためのものなのだろうか。

「旨かったよ」

修一は空の茶碗とはしを置いた。美奈子も食べ終って、自分の茶碗をそれに重ねると、台所へ運んで手早く洗い出した。修一はマガジンラックから新聞を取り出して広げると、ゆっくり読み始めた。そこではもう家庭の秩序が動き始めていた。

日曜日、東京を出るのが遅くなって、修一のスカイラインがあのドライブ・インにさしかかったのはもう真夜中に近かった。ドライブ・インの明りが見えた時、急に一休みして行こうかと思ったのは、少し運転に疲れたからだったのだが、それでいて、カウンターにただ一人坐っている小林を見た時、少しも驚かなかったのは、何か予感らしいものでもあったのだろうか。

「や、これはどうも」

小林が言った。「おかけになりませんか」

修一は小林と並んで腰を降ろすと、コーヒーを注文した。店の主人が二人にちらりと興味ありげな視線を投げて、豆を挽き始めた。

「……お出かけでしたか」

「土曜と日曜は休みなのでね」

修一はタバコに火をつけながら答えた。「東京へ戻ってきたんですよ」

「ああ、なるほど」

何もかもわかっている、と言うような微笑を浮かべて小林は肯いた。修一は、急に好奇心を押え切れなくなって、

「一体、あなたは何を調べてるんです？　こんな所に坐ったまま、何をしてるんです？」

小林はちょっと驚いた様に目を見開いて修一を見つめたが、不逞な微笑は消えなかった。

「今夜の事に限ってのご質問でしたら、あなたをお待ちしていたんですよ」

修一は毒気を抜かれた様に、啞然としてしまった。

「しかし――なぜ僕を？」

「あなたが、牧美奈子さんとご一緒に阿佐谷のアパートにいらした事も承知していますよ」

店の主人が馴れた手つきでサイホンをアルコールランプの火にかけた。湯がゴボゴボと音を立てながら上ボールの粉を押し上げて行くまで、たっぷり修一は小林を見つめていた。

「そう驚かれるほどの事ではありません」

小林が説明口調になって、「私は警視庁の人間だ。あなたを見張るように部下に命令するには、電話一本かければすむことです」

修一は怒るのも忘れて、小林を見つめていた。

「私はあの峯岸家に興味があるのです」

小林は続けて、「従ってそこに新しい住人ができれば、調べたくなるのも当然というものでしょう？　別にあなたを怪しいとか、疑ってるとか言うのではありません。ご心配には及びませんよ」

「それは嬉しいですね」

修一は皮肉っぽく言った。「しかし、少々不愉快ですね。知らない間に見張られていたなんて」

「そりゃあなた」

小林は急に笑い出して、「いちいち知らせてから見張るわけにもいきませんからね、そうでしょう」

修一は急にこの男の笑いに同調しておかしくなって来た。腹立たしさが急速に消えて、笑いが喉元に込み上げて来る。妙な奴だ、全く。

「……いやいや、申し訳ないとは思ってるんですよ」

小林が言った。「初めからあなたは何の関係もないと思ってはいたんですがね」

店の主人がアルコールランプの火を消した。コーヒーが下のボールへ、泡を立てながら降りて来る。それを眺めながら、修一は訊いた。

「それにしても分りませんね。あなたは何を調べてるんです？　あの峯岸家に何があると言うんです？」

「お話ししてもいいですよ。どうです、テーブルへ移りませんか」

注がれたばかりのコーヒーが強く香るカップを持って、修一は小林について奥のテーブルへ席を移した。

「事件については、あなたもいくらかご存知でしょう」

小林はもう一杯コーヒーを注文してから口を切った。

「ま、要するにトラックの運転手が頸動脈を切られて殺された。それだけではなく、他にも数箇所の切り傷がありました。凶器は剃刀のようなものだと思われます。ところが、手がかりらしいものが何一つ残されていない。奇妙なのは、トラックが国道をそれて、わき道へ入り、さらに林の中の空地へ乗り入れていた事なのです」

「では強盗か何か……」

「何も盗まれていないのです。現金が数万円あったのですが、手をつけていない。何のための殺しだったのか、それも分らないのです」

「通りかかった車はなかったんですか？」

「あの晩はひどい雨だったのです。真夜中で、ほとんど車の往来もない時間でした。まあ、たとえ車が通ったとしても、あの林の中の場所は国道からは見えないんです」

「では、全くお手上げですね」

「そういう所です。発見が遅れて、翌日の、それも夕方になった事もあって、非常線を張るにも手遅れだった」

「そこで捜査は行き詰まった」

「袋小路といった所です」

修一は、小林の含みのある表情を窺いながら、

「……それで、一体あの峯岸家には何があるんです？」

「あの家は藁《わら》でしてね」

「何ですって？」

「溺れる者がつかむ藁だ、というんです」

「しかし——藁だというからには、何かあるんでしょう？」

「ある、と言えるほどの手がかりではないんですがね」

小林は苦々しげに笑って、「現場の数キロ手前に、国道からやや離れた人家があるのです。その家は小高い場所にあるので、国道の一角が窓から見渡せるのですが、そこの子供が——中学生でしたが——その晩、国道をある車が行って戻って来るのを見た、と言っているのです」

「行って戻って？」

「雨の中、しかも真夜中です。対向車のライトにちらっと照らされた、というんですがどの程度見えたかは、当然疑問でしてね。しかし、もしそれが本当だとすると、妙な話です。その車は国道を事件のあった方へ向かって走って行き、約二十分後に戻って来たと言うんですからね。それだけの時間では、一番近いガソリンスタンドへも着かない。むろん、ガソリンスタンドにも全部当ってみたのですが、その晩その車を見た記録はありません」

「しかし戻って来た、と言っても、それが同じ車だったとどうして分ります？　別の車が反対方向を走って来ただけかもしれない」

「おっしゃる通りです」

小林は肯いて、「しかしその少年が言うには、きっと同じ車だ、と……。目立つ車だった、と言うんです」

「どういう風に？」

「真赤なスポーツカーだったと言うんですよ」

修一はことさらゆっくりとコーヒーをすすった。小林の方は内ポケットから、変った形のパイプを取り出して、弄《もてあそ》んでいる。

「しかし、馬鹿げてますよ」

修一は一息ついてから言った。「あの姉妹がトラック運転手殺しとどう結びつくっていうんです」

「分りません」

小林はあっさり言って、「申し上げたでしょう、これは藁だ、とね。溺れる者を藁で救う事はできません。多少なりと気休めにはなってもね」

「で、これからどうするつもりなんです」

小林はそれには答えず、手元のパイプを見つめていた。磨き上げられた、見事な光沢のあるパイプで、独特な形をしている。

「いいデザインでしょう」

小林が微笑みながら言った。「デンマークのハンセンの作品です。手造りの逸品ですよ。私はタバコを一切やらんのですがね。ただパイプを持つのが好きでして」

小林はパイプを内ポケットへ戻すと、

「どうもお引き止めしましたな。あなたはまだ当分あの家へご滞在ですか」

「三カ月の約束です」

「ではまた一度や二度はお目にかかれそうですね」

修一はコーヒーを飲みほすと、ドライブ・インを出た。出口で振り返ると、小林がテーブルから軽く会釈した。

「先生はまだ帰らないの？」

居間で、じっと書類を見ていた紀子は、芳子の声で顔を上げた。

「まだのようね」

「もう午前一時になるわよ」

「きっと可愛い恋人と別れるに忍びないんでしょう」

紀子は書類に目を戻しながら言った。

芳子は退屈そうにため息をついて、暖炉の前を所在なく行き来した。

紀子が、やや苛々《いらいら》した声で、

「少し坐っててくれない、芳子」

芳子はちょっと肩をそびやかして、ソファに腰を降ろすと、姉の方を探るように見ながら、半ば冷やかすように、

「姉さん、あの先生に気があるんでしょ」

紀子は、聞こえないふりをして答えなかった。芳子は続けて、

「分るわよ。姉さんの目のギラギラしてるのを見ればね」

「だったらどうなの。どっちが先か、くじで決めるとでも言うの？」

「私は興味ないわよ。あの手の男性は好みじゃないもの。ただ姉さんの好きなタイプだな、と思っただけ」

「私だって、大して関心ないわ」

紀子は手にした書類をめくって、「他に心配する事は山ほどあるんですからね」

「そうね。きっと彼氏の好みのタイプは、私や姉さんより、むしろ……」

「芳子、軽々しく口に出さないで」

紀子が急にきつい口調で言った。

「はいはい」

「気を付けてよ。この間だって、あなたが、『私たち三人』なんて言うから、ひやりとしたわよ」

「そんな事、分りゃしないわよ」

「ともかく慎重にね」

「分ったわよ」

芳子は少々不愉快そうに口をつぐんで、紀子が書類に目を通すのを眺めていたが、やがて言った。

「順調にいってるの？」

「まずまずね」

「それにしては浮かない顔ね」

「楽な商売なんてありゃしないわよ」

紀子はテーブルのブランデーをグラスに注いで、掌で暖め、香をかいだ。

「心配事？」

「まだ何も連絡がないのよ」

「旅行じゃないの？」

「そうは思うけど……」

紀子は、不安を少しも表情には現わさず、グラスを傾けると、息をついて、

「もう寝ましょうか。昌江さんを呼んで、暖炉の火を頼んでくれる？」

芳子が、壁の呼鈴を押した。

修一は、居間のドアから、そっと離れて、昌江が姿を現わす前に急いで階段を上って行った。

この家には何かがあるのだ。「私や姉さんよりむしろ……」芳子はその後、どう言おうとしたのだろう。

危機一髪だった。階段を上り切った時、昌江がホールを横切って居間へ行く足音が聞こえた。

4

穏やかな午後だった。金曜日だ。修一がもうこの館へ来て十日たつ。

授業の後、いつもの通りティータイムを終えてから、修一は紀子に、よかったら林の中の四阿《あずまや》を見せてもらえないか、と頼んだ。

「ええ、構いませんとも」

二人は書斎から庭へ出た。

空気は適度に湿って、冷たい。しかし澄んだ快い冷たさだった。芝生を渡り、池の周囲を巡って行く。二階の部屋から眺めると、池の周囲は草が密生している様に見えるが、実際はレンガを敷きつめた小径が縁に沿って続いているのだった。小径をくねくねと辿って行く間、あまり紀子は口をきかなかった。

「静かですね」

修一が嘆息した。「東京の雑踏に慣れてると、却って落ち着かないな」

小径から木立の中へ踏み入ると、四阿が木々の間のぽっかりと開いた丸い空地に建てられていた。四阿自体も円筒形の建物で、腰のあたりまでレンガの壁になっていて、その上は木造だ。何本かの石柱がやや中央が盛り上がった屋根を支えている。窓がぐるりと、ほとんど全面にあって、今は大部分、閉じられていた。

「入りましょう」

紀子が先に立って四阿の向こう側へ回った。扉のない入口があって、中へ入ると、円形の部屋の中央に円テーブル。それを囲んでベンチが置かれている。

「子供の頃、よくみんなでここで食事をしたものですわ」

紀子は窓を次々に開け放った。「ちょっとしたピクニック気分でした」

「楽しかったでしょうね……」

修一はベンチに腰を降ろした。

「ともかく、平和でしたわ」

「いいお父さんでしたか」

「父は絶対でした。この館のすべてでした。そして私にも妹にも、すべてでした」

紀子の真剣な口調が修一を驚かせた。だが、紀子はすぐ、いつもの冷ややかな愛想のよさを取り戻して、

「あなたのお父様は何をなさっておいでですの」

「僕も両親はありません。兄弟もです」

紀子はじっと修一を眺めた。

「亡くなられたんですの？」

「分りません」

修一は苦笑した。「変でしょう。どうやら僕はまともな生れではないようなんですよ。物心ついた頃は、もう叔父の家にいました。両親の事は叔父も誰も話してはくれないし、僕も訊かなかったんですがね。大きくなるにつれ、自然に噂話が耳に入って来まして」

「それで？」

「近所の子供はよく僕を『親のいない子』と言ってからかったり、いじめたりしました。僕はいつも大勢を相手に喧嘩をしたもんです」

修一は、ちょっと言葉を切って、窓から外を覗いて見た。そして続けた。

「僕が子供心に知ったのは、喧嘩をしたら、勝たなければいけない、という事と、誰かの力を当てにしてはいけない、という事でした。叔父はあくまで他人にすぎなかったし、

僕をかばってはくれませんでした。僕が東京へ出る時も、引き止めるどころか、あからさまにほっとした様子でした。しかし、それでいいんだと思います。人間は一人一人、他人ですからね」

「まあね」

紀子は、修一の言葉にじっと聞き入っていたが、立ち上がると、窓へ身を寄せて、

「でもあなたには好きな方がいらっしゃるんでしょう」

「愛してらっしゃらないの」

「愛しているつもりですよ」

「彼女も他人なのかしら？」

「いくらか身近な他人、という所ですね」

「冷たいのね」

「そう思っていた方がいいという事ですよ」

「では……」

紀子はゆっくり言った。「あなたの可愛い人も、私も、あなたにとって大して違いはない訳ね」

「まあ、そうも言えますね」

「私と、少しは身近になってみる気はある？」

修一はちょっと眉を上げて、

「下手をして百万円を棒に振る気にはなれませんよ」

「あなたって、正直ね」

紀子は笑った。「——戻りましょうか」

「ええ」

二人は談笑しながら、館へ戻って行った。


日々が平穏に流れて行った。秋が冬へと一枚ずつ皮を脱ぎ去って行く他は、何の波風も立たない毎日だった。修一の部屋から見下ろす池に、時折寒風が細かく震える縞《しま》模様を作って行く。

一カ月が過ぎた。

その朝、数日続いた灰色の雨模様が打って変って、素晴らしい青空だった。遠くの木立の裸のか細い枝先も、そよとも動かない。部屋一杯に光を入れると、小春日和の暖かさだ。

修一は九時半頃、のんびりと目をさますと、カーテンを開けたまま、三十分ばかり寝台へ戻って無為の時を過ごした。

土曜日だったが、美奈子が浅倉教授のお供でラテン語学者の国際シンポジウムに行っているので、この週末は東京へ帰らない事にしたのである。この館で過ごす初めての休日だ。紀子と芳子は朝のうちに出かけるとの事だったので、ゆっくりしていていいはずだった。

　十時を回って漸《ようや》く起き出し、身だしなみを整えて階下へ降りて行くと、昌江が食堂で待っていた。

「おはようございます」

「おはよう。遅くなってすまないね」

「いいえ。朝食は卵をお付けしますか」

「そうだね、頼むよ」

「ハムエッグにいたしますわ」

　待つほどもなく、冷たいジュースとハムエッグ、フランスパンにチーズが出て来る。ナチュラルチーズ独特のくせのある香がする。

「先生は今日はこちらにいらっしゃいます？」

　昌江が熱いコーヒーを注ぎながら言った。

「たぶんね。なぜ？」

「もしよろしければ、午後、買物に出て来たいのですが」

「いいですよ。留守番は引き受けるから、行ってらっしゃい」

「すみません。島崎さんに車を運転していただいて行きます」

「買出しか。大変だね」

「この辺は何もありませんから、買いだめしておかないと。あちらの物は配達していただけるのでいいんですけど……」

あちらの物、とは輸入品の紅茶、チーズ、石けん、化粧品、といった品物で、月に一度、東京のデパートからまとめて送って来るのである。

「紀子さんたちは、もう出かけたのかな?」

「はい、早くにお出かけになりました」

「いつも土、日とお出かけだけど、どこへ行くの? 知ってるかい」

「さあ……慈善団体のお仕事だと伺ってますけど、詳しくは……」

慈善団体か。紀子はともかく、芳子にはおよそ似合わないな、と修一は思った。いつか紀子に訊いてみた時も返事はそれだけだった。詳しい事は話そうとしないのだ。

朝食後、修一は書斎へ行って棚の蔵書を眺めた。皮表紙の豪華本が多い。それも洋書。果して誰か読んだ事があるんだろうか、と二、三冊手に取ってみると、書き込みこそないが、明らかにどれも読んだものと分って驚いた。

シェークスピア、チョーサーからゲーテ、フロイトまで原書で揃っている。フランス語のラブレー、ボードレール、ラクロ、ラディゲもある。

修一は書棚の一角に並んでいる美術品――小さなブロンズ像、ボヘミアングラスらしいガラスの人形、把《え》に彫刻を施したナイフといったものを、しばらく眺めていたが、そのうち、射し込む光の暖かさに誘われて、テラスから芝生へ出た。

深呼吸をすると、胸の淀んだ温気がたちまち透き通って行くのが手に取るように分る。

この館の付近には散歩できるような所はなかった。国道から入って来た道路の他には路がなく、この館の何キロ四方かは、家もない。孤立した世界である。しかし何といっても、これだけの広さだ。わざわざ館の敷地を出なくとも散歩ならいくらでも邸内で出来る。

あの四阿へ行ってみようか。修一はふと思った。腕時計を見ると、十一時半を過ぎた所だった。昌江たちは午後出かけると言っていたから、まだ大丈夫だ。修一は池の縁を巡って、四阿へ足を向けた。枯れた林の中は木洩《こも》れ陽《び》が一面に散らばって、幻想的な模様を描いていた。

木々の間を気ままに巡って、四阿へ近づいた。窓が全部閉まっている様だ。入口の方へ回りかけたとき、中からの人声が修一を立ち止まらせた。修一は窓の一つへ足音を殺して歩み寄った。窓は板張りで、両側からの合せ目に細い隙間ができている。修一はその隙間に目を当てて、中を覗いた。窓は閉じてあっても、入口から入る光で、中は充分に明るい。

中央の円形のテーブルの上で、裸の男女がもつれ合っていた。洩れ聞こえる呻き声と荒々しい息遣いで、もうどちらも最後の頂点へ登りつめようとしているのが分る。周囲には脱ぎ捨てた衣服が散乱して、ほとんど暴力的であったに違いない始まりを思わせる。

男は島崎、女は昌江だった。あのあどけない小娘と見える昌江が、喜悦の声を上げながら、愛欲に溺れている光景を、修一は信じ難い思いで見つめた。しかし無理強いされているのでない事も、これが初めてではない事も、ひと目で見て取れる。紀子と芳子のいない土、日曜に、いつも二人はこうして快楽に溺れ切っているのだろうか。
ひときわ高く昌江が声を立てて、島崎の動きが止まった。二人はそのまま、動かなかった。激しい息遣いが、修一の耳にもはっきりと届いて来る。修一はそっと窓から離れた。

池を巡って芝生へ戻って来ると、草の上に坐り込んで、じっと滑らかな水面を見つめる。異様な光景を垣間見て我にもあらず興奮が体の内で騒ぎ続けているのを感じていた。異様な、といったところで、あの二人の取合せが異様だったのではない。誰と誰がどんな仲になろうと、別に修一は驚きはしない。

異様に思えるのは、あの二人がわざわざ逢引きの場所を、あの四阿に選んだ点である。館の中で、いくらでも部屋はあろうに。それに島崎は別棟に住いを持っているのだ。そこならば覗かれる心配もない。それをなぜ、あの四阿を選んだのか。

この屋敷そのものが、どこか狂っているように思えた。人間も、何もかも、どこか奇妙で、常識を外れている……。

修一は立ち上がって、スラックスに付いた枯草や汚れを払って、書斎へ戻ろうと足を踏み出した。その時、それが目に入った。

外壁にそって、所々、小さな花壇が造られていたが、今、修一は目を見開いて、その一つを凝視していた。花のしおれきった花壇の、柔らかい土の中から、人間の手が生えていた。白い小さな手が、地表に突き出ているのだ。呆然として見守る修一に向かって、その手が招くように動いた。戦慄が全身を貫いた。手が、生きて、彼を呼んでいる。さし招いている。修一はじわじわと横へ動いて、書斎へ向かって駆け出した。追いかけて来る悪夢から逃げるように……。

「出かけて来ますので」

昌江が居間でくつろいでいる修一に言った。

「どうぞ。後は心配なく」

「お願いします」

修一は昌江が出て行くのをじっと見送った。つい数時間前に淫らな声を上げて身悶えていた様子など、みじんもない。修一は立ち上がってホールへ出ると、玄関の扉を開けた。昌江と島崎の乗ったベンツが、噴水の向こうに回って行く所だった。

これでこの館には自分一人だなと修一は思った。そしてすぐに、「いや、二人か」と口に出して呟いた。午後三時になろうとしていた。

落ち着きを取り戻してみると、あれほどの恐怖に駆られた自分が、腹立しくなって来た。怪談を信じるには修一はいささか合理主義者だ。手があって、それが動けば、必ずそれに胴体がついているはずである。十五分ほどしてあの花壇を見に行ってみると、手は消えていたが、その周りの土は乱れて、小さくくぼんだ場所があった。この下に地下室のようなものがあるのだ。その天井を破って、手を出したのに違いない。誰が？——もちろん、四組めの食器の主だ。食事をするからには、幽霊であるはずもないし、高級な銀器を使いこなすのなら、狂暴な野獣でもあるまい。

修一は花壇から後ずさりして池の縁まで行き、館を眺め回すと、その花壇が館の内側のどの辺に当るかを目測した。それから書斎と居間を抜けてホールへ出る。玄関から見ると、ホールの反対側は階段の上り口だが、その向こう側に、小さな廊下が奥へ走っている。修一はその廊下を進んで行った。階段の下になるので薄暗く、左右にいくつかのドアがある。その一つが昌江が住み込んでいる部屋のドアだという事は知っていた。その他のドアには、プレートがついていて、洗濯場、掃除用具入れ、物置、雑貨入れとなっている。正面は裏庭へ抜けられるドアだが、いつも鍵をかけてあるようだった。

一番奥まった左手のドアは〈物置〉となっていたが、おそらく地下室はその下だろう、と修一は思った。物置のドアに手をかけて、一瞬、修一はためらった。しかし、修一の手はドアのノブを回していた。もはや好奇心は押えようもなく高まって来ている。ここでやめるのは、とてもできない相談だった。修一をそそのかすように、ドアは音もなく開いた。

手探りでスイッチを押すと、小さな裸電球の明りに、広さ三畳ばかりの部屋が照らし出された。何の変哲もない物置だ。庭の手入れの道具、大工道具から、束ねた雑誌や本までが所狭しと積み上げてある。どこかに地下への入口があるはずだ。奥へ進んで行くと、段ボールがいくつか積んである。その向こう側の壁に、ぽっかりと入口が開いていた。修一は思わず苦笑した。秘密の地下室か。そんなものに、本当に足を踏み入れようとは、一体この館はどこまで現実離れしているんだ。

入口は少し頭を低くしないと通れない高さだったが、幅は充分に広い。すぐにレンガを積んだ階段が地下へと降りていて、それが螺旋《らせん》状に弧を描いているので、入口からは下が見えない。頭上にはいくつか小さな電球が灯って、足下に充分な明るさを投げていた。修一は静かに足を踏み出した。

気のせいか空気が冷たいような気がする。足音を殺しているつもりでも、この小さなトンネルでは威勢よく行進でもしているように聞こえてしまう。階段から降り立った所は、薄暗い石畳の、三畳ていどの広さのスペースだった。運んで来た食事の盆でも置くのか、細長いテーブルが置いてある。

「昌江さんなの？」

突然、若い女の声が奥の暗がりから響いて来て、修一は飛び上がらんばかりに驚いた。正面の暗がりに四角く窓が開いた。正面には扉があったのだ。そして鉄格子のはまった窓から、若い女が修一を見ていた。

「――誰なの、あなた？」

彼女の問いに答えるまでに、しばらく呼吸《いき》を整えなければならなかった。

「上田修一。家庭教師です」

「ああ」

彼女が言った。「昌江さんから聞いたわ、フランス語を教えている方ね」

「そうです……」

上の空で答えて、修一は静かに正面の扉へ近づいた。大きな窓の向こうに、鉄格子をはさんで修一と向かい合っているのは、二十四、五歳の小柄な娘だった。蒼白に近いような顔色で、髪は長く肩へ流れるに任せていた。

修一とその娘は、かなりの間、無言で見つめ合っていた。娘は彫りの深い顔立ちで、切れ長の目、薄い唇が目をひいた。

「君は？」

修一が訊いた。

「峯岸雅子」

「では……紀子さんや芳子さんの……」

「妹です」

雅子と名乗った娘は、じっと修一を見つめていた。修一は無理に言葉を押し出すように、

「ここは一体何だい？　牢獄みたいに見えるが」

「牢獄よ、本当に」

雅子は両手で、窓の鉄格子をつかんだ。

「なぜ？　一体どうしてこんな所にいるの」

雅子が軽く笑みを浮かべて、首を振った。

「姉さんたちに言わせると、私は悪い娘なんですって」

「それにしても……」

「でも割合住み心地はいいのよ」

雅子は肩をすくめて、「毎日の暮しには、何も足らないものはないし」

雅子は窓から身を引いた。修一は初めて、その牢獄の中を覗き見る事ができた。

かなりの広さで、階上の部屋とほとんど変る所がないようだ。絨毯を敷きつめて、壁は板張り、何枚かの絵が掛けてあり、書棚には本が並んでいる。

「素敵なお部屋でしょう？」

雅子が言った。「別に何一つ不足する物はないし、何もやる必要がない。ただ遊んで暮らしてればいい。これだけの空間を、鳥かごのように飛び回ってればいいの」

雅子は声を上げて笑った。

修一はその笑いに一種のヒステリックな響きを聞き取った。

――急に真顔になると、雅子は窓へ走り寄って来た。

「助けて下さる？　ねえ」

修一は不思議なこの娘の目の輝きに、魅せられたように立ち尽くしていた。

「ここから出たい！　出たいのよ！　ああ、気が狂いそうだわ！」

ほとんど叫ぶように言って彼女の白い小さな手が鉄格子を握りしめて震えた。修一はその手を包んでやると、

「落ちつくんだ！　落ち着いて」

雅子が、自分の手をくるんだ暖かい修一の手に突然唇を押し当てた。修一は、戸惑いながらもう一方の手でそっと雅子の顔を持ち上げると頰を軽く撫でてやった。

「……死にたかったの、本当に。あと何日、持ったかしら」

雅子は修一に涙で頰を濡らしながら笑いかけた。「書棚の後の板をはがして壁を掘ろうとしたけど、レンガの隙間からやっと手の先が片方地面に出ただけだったわ」

「それを見て捜しに来たんだ」

「まあ！　無駄じゃなかったのね」

雅子の顔が輝いた。「神様！　よかったわ」

それから、はっと我に返ったように、声をひそめて、

「昌江さんは？」

「買物に出てる。しばらく戻らないよ」

「あの男……島崎は？」

「一緒だ」

「姉さん達はお出かけね」

「そうだ」

やっと安心したのか、雅子は鉄格子に額をもたせかけて、目を閉じた。

「でも、どうして姉さんたちは君をこんな所へ入れてるんだ？」

雅子は目を伏せて、しばらく黙っていた。修一は彼女が、簡素な白いワンピースを着ているのに初めて気がついた。その清楚な姿は無垢《むく》な一輪の花を思わせた。

雅子は、やがて思い切った様に顔を上げた。

「私は悪い娘なの。本当にそうなのよ。だからこんな事をされても、姉さんたちを恨む気にはなれないわ」

彼女は大きく一つ息をついて言った。「私、人を殺したの」

「——いつの事だい？」

「五年前……。二十歳だったわ、私」

「誰を殺したの？」

「島崎の前にいた下男よ。名前ももう忘れてしまったけど」

「なぜ殺したんだい？」

「殺そうなんて思わなかったわ。夢中だったのよ。みんな出かけていて、私が自分の部屋に一人でいた時、その男が入って来たの。いきなり私を押えつけて、のしかかって来たの。服を破られて、叫ぼうとすると首を締められそうになったわ。そばのテーブルに裁縫バサミが載ってたの。つかんで、力一杯刺したわ。何度も何度も。そしたら、急に、その男がぐったりしたわ。死んでたのよ」

「しかし、それなら正当防衛だ。警察へ届けなかったのかい？」

「ええ」

「どうして？」

「姉さんたちは、誰も私の話を信じないだろうって言ったわ。私が捕えられて冷たい監獄に入れられてしまうって」

「馬鹿な！　信じないなんてはずがあるもんか」

雅子は首を振った。

「姉さんたちはいつも正しいのよ。私はここから出たいと思ったりしちゃいけないんだわ」

雅子は急に怯えたように目を開いて、

「ねえ、もう行って！　島崎が帰って来るわ。もし見つかったら……。行って！　早く行って！」

「しかし――」

「放っておいて、私の事は、忘れてしまって！　私の事なんか！」

そう叫んで、雅子は扉から退がると、窓を閉じてしまった。

「君！　ねえ、君！」

修一は呼びかけた。扉を叩いた。しかし、何の応えも返っては来なかった。

扉の把手をつかんで力一杯揺すろうとしたが、扉はびくともしなかった。

諦めて、修一は地下室を出た。一時間ほどして、島崎と昌江が帰って来た。

果してあれは現実の体験だったのだろうか。その夜、ベッドに入って、修一は考えていた。地下に幽閉された娘。人殺し。——何もかも信じられないような話だ。しかし、あの雅子という娘は、これからどうなるのだろうか。一生、ああして地下で暮らすのか。紀子はどういうつもりで、妹を閉じこめてしまったのだろう。紀子は、どんな事でもやりかねない女には違いないだろうが、実の妹に、あんな仕打ちができるのだろうか。

どうしたものか、と修一は思った。いらぬ事に関わり合っている暇はないのだ。といって、ここで修一が見放してしまえば、雅子はあのまま、ずっと……。いつかは気が狂ってしまうかもしれない。

明日。もう一日、機会はある。島崎と昌江の目を巧く盗んで、もう一度、雅子に会ってみよう。修一は心を決めた。

翌日、修一は書斎で時間を潰しながら、島崎と昌江の様子に注意していた。紀子たちは夕方には戻って来る。それまでに何とか地下へ降りて行く機会を見つけなければならない。

だが、修一が気を揉むまでもなかった。昼前に昌江が紅茶を淹れて来て、

「しばらく庭を手入れしていますので」

と言ったのだ。

「島崎さんに手伝ってもらったら？」

修一は何食わぬ顔で言った。

「ええ、そう思っていますの」

どっちも何食わぬ顔で、いい勝負だな、と修一は思って、おかしくなった。

数分後、一応、シャベルや、大きな植木バサミを手に、昌江と島崎が林の中へ入って行くのを、修一は書斎から見送った。これでしばらくは大丈夫だ。

急いで物置へ入って、階段を降りて行くと、下から雅子の声が響いて来た。

「――あなたなの？　誰？　あなたなんでしょう？　答えて！」

「僕だよ」

と答えて、修一は地下へ降り立った。鉄格子の間から、雅子が両手を差しのべた。

「よかった！　もう来てくれないと思ってたわ」

「来てよかったのかい？」

「ええ、ええ、もちろんよ。昨日はごめんなさい。私……怖くて……」

「分ってるよ」

修一は雅子の手を握ってやった。

「ゆうべは恐ろしかったわ」

「なぜ」

「ずっとあなたの事を考えているうちに、本当にここにあなたが来たんだろうか、私の想像だったんじゃないかと思えて来て……」

「幽霊じゃなくて、ここにいるよ」

「ええ、そうね」

雅子が微笑んだ。

「ここの鍵は？」

「紀子姉さんだけが持っているの」

「一つしかないのかい？　そんなはずはないよ」

「二つあったわ。でも一つは私をここに入れる時、捨ててしまったのよ」

「でも、食事を運んで来たりした時は開けるんだろう」

「扉のわきを見て」

修一は扉の傍に、小さな口が開いているのに初めて気付いた。食事はそこから差し入れるのだろう。

「囚人じゃないか、まるで。姉さんに話して、必ず君を出してあげる」

「だめ！　だめよ！」

雅子は、鉄格子の間から手をのばして、修一の腕をつかんだ。「紀子姉さんに言ったら、きっとあなたはここから追い出されるだけよ」

「そんな事はさせやしない」

「島崎がいるわ。あの恐ろしい男」

島崎か。確かに番犬として、あれ以上の男はあるまい。修一などとても敵う相手ではない。

「分ったよ」

修一は腕をつかんだ雅子の手を軽く叩いて、「機会を見て、必ず紀子さんから鍵を盗んでやる」

「気をつけて。紀子姉さんは頭がいいのよ」

「鍵はどこへ置いてあるんだろう？　見当はつかないかい？」

「身につけて持っているわ」

雅子は力なく言った。「鎖につけて、いつもね」

「大丈夫」

修一はしばらく考えてから、元気づけるように微笑んだ。「必ずなんとかして手に入れるからね。待ってるんだ」

「ええ……」

雅子は微笑みを取り戻して肯いた。

「君の事を話してほしいな」

修一は優しく話しかけた。

「話すって、何を？」

「何でもいい。昔の事でも、今の事でも、毎日何をしているのか、とか……」

しばらくしてから、雅子は、ぽつりぽつりと話し始めた。――話は一時間ほども続いて、修一は島崎と昌江が戻る前に書斎へ帰らなくては、と雅子の話を遮った。

「また来てくれる？」

「来るとも。必ず来る」

「きっとね！」

雅子の声が訴えかけるように、階段を上る修一を追いかけて来た。

書斎へ戻るとすぐに、島崎と昌江が林から出て来た。危ない所だったな、と思った。

紀子と芳子がいる間は、地下へ忍んで行くのは難しいだろう。しかし、修一の胸には、すでにある計画が描かれつつあった。

「昌江さん、ちょっと」

修一は自分の部屋のドアを開けて、廊下を歩いて行こうとした昌江を呼び止めた。

「はい？」

「ちょっと入ってくれないか」

「はあ……」

昌江は戸惑い顔で、修一の部屋へ入って来た。

金曜の夜である。明日は二週間ぶりで東京へ戻る。どうしても今夜のうちにやらなければならない。

「君に頼みがあってね」

修一はドアをきっちりと閉めて、「何、大した事じゃないんだ」

「何でしょうか」

「紀子さんが風呂に入るのは何時頃だい？」

昌江は目を丸くして、

「十時頃ですけど……」

「君が仕度するんだろう？」

「はい」

「それじゃ、紀子さんが風呂に入ったら、僕に知らせてくれないか」

「あの……一体どういう……」

「それからね」

修一は続けて、「君なら知ってるんじゃないかな、紀子さんが入浴の時や寝る時に鍵をどこへ置いているか」

「鍵といいますと、何の鍵でしょう？」

「ほら、あの地下室の鍵さ」

昌江が喘《あえ》いだ。

「それを……どうしてご存知なんですか？」

「どうでもいいさ。ただ鍵がほしいだけだよ」

「だめです！　私もあの方とは余り口をきいてはいけないと言われてますし、誰にも言わないように、きつく……」

「君から聞いた事は秘密にする。心配ないよ」

「でも、やっぱり言えませんわ。もし知れたら、クビですもの」

「なるほど。それじゃ、あの四阿で、かの大男君と戯れていた事は知られてもいいんだろうね」

昌江はあんぐりと口を開け、しばし修一を見つめていたが、やがて怒りで頬を染めて、

「見てたんですね！　この……この……」

「あの四阿は紀子さんが昔の想い出を懐しむ大切な場所なんだ。それをよりによってあの四阿のテーブルの上とはね」

「やめて！」

「鍵は？」

「……枕元のナイトテーブルの一番小さな引出しです」

「よし、それじゃ紀子さんが風呂に入ったら、この部屋のドアを三度、ノックしてくれ」

修一は昌江が出て行くと、教材用の粘土を用意して、待った。文具が必要だから、と車で茅野まで出て買って来たのだ。この粘土で鍵の型を取ろうとしているのである。

十時を少し回った時、ドアにノックの音が三度。修一は少し待ってから、廊下へ出た。

紀子の部屋は廊下の反対側の奥になる。絨毯を踏んで急ぎ足で紀子の部屋へ着く。ドアに聞き耳をたてたが、何も聞こえない。そっとドアを開く。

部屋の造りは、修一の部屋と変らない。中へ入ると、奥の浴室のドアの方から、湯をはねたり流したりする音が聞こえてくる。修一は急いでナイトテーブルに歩み寄って小さな引出しを開けてみた。鎖のついた鍵が、ノートの上に置いてある。修一は持って来た粘土に、鍵を押し当てた。表と裏、両面の型を取ると、粘土をツイードの上衣のポケットにしまい、今度は鍵をていねいにハンカチでこすった。粘土が残っているといけないからだったが、これが意外に時間を食った。わずかの痕跡はどうしても残るが、やむを得まい。鍵を元へ戻して引出しを閉めた時だった。

「何をなさっておいでですの?」

振り向くと、浴室のドアが開いていて、バスローブをまとった紀子が立っている。

「何かご用?」

紀子は重ねて訊いた。けげんそうな顔だが、詰問するような口調ではなかった。しかし、いつそうなるかもしれない。修一はどう言ったものか、迷った。そして突然、自分が大きな寝台のそばに立っている事に気がついた。目の前にはバスローブ姿の紀子がいる。よし、こうなったら——回答は一つしかない。

「待っていたんです」

「私を?」

「そうです」

「そう……」

紀子は愉快そうに微笑みながら、散歩でもしているような足取りで、修一に近付いて来た。

「少し、身近な他人にしてみようと思っていらっしゃるの？」

「損得抜きでね」

「それにしても」

紀子は首を振って、「部屋へこっそり入って来て待ってるなんて、感心しないわ」

「感心するかどうかは後で決めてくれませんか」

「考え違いしないで」

紀子は、テーブルのタバコ入れから一本取って、ギリシャ彫刻を象《かたど》った卓上ライターで火を点けた。

「入って来たのがいけないと言ってるんじゃないのよ」

紀子はバスローブの腰紐を解きながら、「どうせ入って来たのなら、待つ事はないでしょ、と言ってるの」

修一は思わず笑った。

「あなたは変ってる」

「そうかしら」

紀子はバスローブを脱ぎ捨てて、「変って見えて？」と訊いた。

見事な肢体だ。三十代半ばとはとても思えない。少しも疲れやゆるみのない体だ。とっさの成り行きでこうなったとはいえ、紀子の体の魅力に変りはなかった。

修一は紀子の口からタバコを取ると灰皿へ投げ捨て、まだ湯上がりのぬくもりを止める肌を抱いた。

「いくらか身近になって？」

「いくらかね」

「私の方から近付いて行ってあげるわ」

二人はベッドへもつれ込んだ。修一は、鍵の型を取った粘土が飛び出さないように、そっと上衣を脱いで床へ落としたが、その後は紀子の肉体の誘惑へと一気にのめり込んで行った……。

何かあったのだ。

美奈子は修一をひと目見て、気付いた。恋する者の直感だ。彼の目が自分をまともに見ない。絶えず何か考え込んでいて、美奈子の話にも、どこか気のない様子で肯くだけだ。美奈子は漠とした不安に捉えられて、修一を見つめた。しかし修一は一向にそんな彼女の様子に気付く気配もない。何も言わずにいるのが一番いいのだ、と自分に言い聞かせる。彼を信じていればいいのだ。私は彼と深く深く結びついているのだから……。

修一は土曜日の昼近く、美奈子との待ち合せ場所に行く前に、高校時代の友人で、今は金物屋をやっている男を訪ねて粘土の型から合鍵を作ってくれ、と頼んだ。

金物屋の友人中西は、修一の持って来た型を見て、

「容易じゃないぜ、こいつは。同じタイプの原型があれば簡単だけどな、こいつはそんなチャチなのとは違う」

「何とか頼む、ぜひ必要なんだ」

「いつまでだい？」

「いつできる？」

「二週間はかかるな」

「もっと早くできないか」

「捜しに行かなきゃならないんだぜ、これを削れる原型をな」

「分った。金は払うからよろしく頼む」

「どうしようってんだ？　女の部屋にでも忍び込むのか？」

「そんな所だ」

修一は中西の肩を叩いて店を出た。

一週間前のことは思えなかった。あの地下の牢獄で、あの不思議な娘に会ったのが、つい数時間前のような気がする。日曜日、修一は鉄格子越しに、雅子の話を聞いた。

雅子は幼い頃から過敏で、夢見がちな少女だったようだ。学校は休みがちで、高校を途中で退学、その後は家庭教師をつけられ、英語や音楽を学んだ。そんな脆《もろ》い、ガラス細工のような少女だったせいか、父は雅子を特別に愛していた。姉二人には面白くなかった。三人姉妹の間では、雅子はのけ者だった。雅子が引き起こした殺人事件は、父親が巧みにもみ消したが、紀子と芳子はこぞって雅子を異常者だと決めつけ、病院へ入れるべきだと主張した。父は雅子を手もとから離したがらず、地下室を改造して雅子の部屋にしたのだが、それでも父が飛行機事故で死ぬまでは、雅子も島崎に付き添われて表へ出る事ができた。部屋も普通のドアで、夜だけ鍵をかけられていたのだ。父親がいなくなると、姉二人は雅子に表へ出る事を一切許さなくなった。あの頑丈な扉を取り付けさせ、完全に雅子を幽閉したのである……。

美奈子は、修一が自分に何かを隠しているのを感じた。早くも修一が自分から遠ざかって行くようで、寂しかった。

「どうした？」

修一が美奈子の顔を覗き込んだ。

「別に。ね、今夜、寄せ鍋にしようと思ってるの、家で。どう？」

「いいね！」

修一も大げさに笑って見せた。

二週間は、カタツムリの歩みのように、のろのろと過ぎて行った。修一は毎日、授業と読書にひたすら専念した。途中、夜中にでも地下へそっと降りて行って雅子に会って来たいと思ったが、万一見つかってすべてを無駄にしては何にもならない、と自制した。次の土曜日曜は、普段の通り東京へ戻ったので、地下室を訪れる機会はなかった。東京でしなければならない準備も何かとあったのだ。

紀子とはあれきりで、むろん修一の方から言い寄りはしなかったが、紀子の方でも、気軽な遊び程度にしか考えていないようで、修一はほっとした。

十二月に入って、この二週間の間に、二度、雪が降った。東京より格段に厳しい寒さがやって来て、みんな部屋へ閉じこもる事が多くなっていた。島崎と昌江はどこで逢びきしているのかな、と修一はふと思っておかしくなった。あの四阿ではいくら激しく愛し合っても凍えてしまうだろう。それとも、ストーブでも持ち込んで頑張っているのだろうか。

二週間後、という約束通り、鍵はできあがった。安くはなかったが、修一は、すでに授業料の半額の五十万円を受け取っていたので、それから支払った。

準備は整ったのである。後は次の土曜日を待つばかりだった。

その日は、重苦しく雨雲のたれ込めた一日だった。

土曜日の朝、修一は七時にベッドを離れた。ゆうべはほとんど眠っていない。こんなに早く起きたのは、紀子と芳子が館を出て行くのを確かめたかったからだ。帰りはいつも日曜の夜なので、充分に時間はある。むろん昌江と島崎がいるが、例によって二人はどこかで密会して時を忘れているだろう。今日だけが例外でない事を祈った。

服を着終えると、内ポケットをさぐって、合鍵と小さなヤスリが入っているのを確かめる。

「鍵ってのは、そうピッタリ一発で合うもんじゃない」

中西がこの合鍵を渡すときに言った。「いいか、穴にさし込んでみて、このヤスリで少しずつ削って合わせるんだ。削りすぎるなよ。少しずつやるんだ」

そして中西は付け加えた。

「合鍵を使っても会いたくなるような女ってのに、一度会わせてほしいね」

今、合鍵もヤスリも用意してある。後は機会を待つだけだ。

修一は食堂へ降りて行った。食事をしていた紀子と芳子が、驚いて顔を上げた。

「あら！　珍しい」

紀子がからかうように、「愛《いと》しい人に会うのが待ちきれないのね」

「そんなところですね」

修一が席に着いた。

芳子はパン皿に目を落として、黙って食べていた。修一は、昌江の運んできたかごから、フランスパンを取った。

「すぐにお出かけ？」

紀子が訊いた。

「いや、午後にします。途中で用があって」

「じゃゆっくりお休みになればいいのに」

「たまには早く起きませんとね、何か拾い物でもあるかもしれません」

「じゃ私たちはお先に。芳子、急いで」

「はいはい、そうせかさないでよ。頭が痛くって」

「飲みすぎですか」

修一が笑った。

「私、今まで飲みすぎで頭痛なんて経験ないわ。ただの頭痛よ」

二人は食堂から出て行った。しばらくして修一が食後のコーヒーをすすっていると、アルファ・ロメオのエンジンの音がかすかに聞こえた。修一は腕時計を見た。八時十五分だった。

修一はそれからずっと階下にいて、居間や書斎で時を過ごした。昌江と島崎が姿を消すのを確かめたかったのである。いなくなったらすぐに取りかからねばならない。鍵を合わせるのにどれ位の時間が必要か、見当がつかなかったからだ。中西の腕を信じたい気持だった。

だが、事はなかなか思うようには、はかどらなかった。昌江は洗濯や片付けものに、いつになく忙しそうだったし、島崎は十時頃ベンツで出かけて、昼過ぎまで戻らなかった。苛立つ気持を押えながら、昼食を摂る。スパゲティで、ゆで方は申し分なかった。昌江は料理番ではないが、料理の腕も相当なものだと、修一も認めないわけには行かなかった。

「おいしかったよ」

「恐れ入ります」

昌江は片付けの手を、ふと止めて、「あの鍵はどうしまして？」

「しくじったよ」

修一は嘘をついた。「紀子さんに見つかっちまった」

「紀子さまはお風呂がお早いんですよ」

昌江が、いい気味だといわんばかりの様子で、「よく追い出されませんでしたね、ここを」

「そうは行かないさ」

「あの時、あなたがなかなか出て来られないんで、どうしたのかと思ってたんですよ」

「見てたのかい？」

「お部屋を整えにずっと回ってましたから」

「そう。――色々とあってね」

「紀子さまも、ずいぶん色々とある方ですからね」

昌江はくすくす笑って、「何かあったんでしょう?」

「君には関係ないさ」

「ええ、存じてます」

「お互い黙ってる事だね」

昌江はくすっと笑って皿を下げて行った。修一は島崎がちらりと食堂を覗いて行くのに気付いて、これからだな、と直感した。居間へ行って、修一はホールのドアを細く開けておいた。二時十分だった。


　十五分と待たないうちに、ホールに足音がした。覗いて見ると、昌江と島崎が急ぎ足で、奥の廊下へと消えて行く所だ。二人は昌江の部屋で密会するのだろうか。修一は舌打ちした。地下への入口がある物置のドアは同じ廊下に面しているのだ。物音に昌江たちが気付かないとも限らない。ドアが開き、そして閉まる音がした。妙に重苦しい、遠い音のように聞こえた。ちょっと考え込んでから、修一はドアから離れ、書斎へ飛んで行った。

　テラスへ出るガラス戸越しに、昌江と島崎が林の奥へ入って行くのが見えた。またあの四阿を使う気なのだ。あの廊下の奥の、いつも鍵のかかっている扉から裏へ出たのだ。

いくら晴れてはいても、この寒いのにご苦労だな、と修一は思った。前に修一に見られてから、だいぶ経っている。もう大丈夫と判断したのだろう。時は来た。

修一は二階の部屋から、小さなボストンバッグを取ってくると物置へ入り、地下へ駆け降りた。

「あなたなの？」

鉄格子の窓から、雅子が顔を見せている。

「僕だ。今出してあげる」

「本当に来てくれたのね！　もう二度と来てくれないと思ってたのよ」

「今、鍵を開けるからね」

「鍵が手に入ったの？」

「合鍵を作った。説明は後だ。開けるのにちょっと時間がかかるから、出かける仕度をするんだ」

「どこへ行くの？」

「後で教える。さ、早く」

「ええ！」

喜んで叫んでから、雅子は急にはっとした様子で、「島崎は？」

「昌江さんと林の中の四阿さ」

「どうして、あんな所へ？」

「逢いびきというやつさ。さ、急いで」

雅子が窓から消えた。修一は合鍵とヤスリを出して、扉の鍵穴の前にかがみ込んだ。さて、どれ位で開くか。正直なところ自信はなかった。合わないからといって、どこをどう削ればいいのか。中西の話では、「あちこち適当に削ってれば、そのうち開くさ」という事だったが、そう巧く行くものか。手ににじんだ汗を上着で拭って、修一は鍵をそろそろと鍵穴へ差し込んだ。思いがけず、鍵は、ひっかかりもせず、奥まで入った。修一は緊張した。鍵が空回りしたらおしまいだ。余分な出っ張りは削れば済むが、必要な部分が欠けていてはどうしようもない。祈るような思いで鍵を回した。手応えがある。力を入れて回す。錠が開いた。

修一はしばらくあっけに取られていた。こんなに簡単に開いてしまうとは……。やっと笑みがこみ上げて来る。中西のやつ、今度は一杯おごってやらなきゃ！

重い鉄の把手を回して引っ張ると、扉はそろそろと開いて来た。雅子は小さな布袋に、服をつめ込んでいたが、扉が開いて、修一が立っているのを見ると、幻を見た様に呆然としていた。それから駆け寄って来ると修一に思いきり抱きついて接吻した。修一は優しく雅子を抑えて、

「さ、こんな事しちゃいられない」

修一は言った。「仕度は？」

「もうちょっと」

修一はボストンバッグを見せると、

「ここに必要なものを入れてある。よく聞くんだ」

「ええ」

修一は、バッグを開けて、中の物を手短に説明した。

「僕は車を玄関に出しておくからね、すぐ来るんだよ」

「分ったわ！」

修一は階段を駆け上がった。物置を抜け、廊下からホールへ飛び出す。玄関の扉を開ける。

修一は、ガレージへと駆け出した。ガレージのわきの入口から中へ入る。薄暗い中にベンツとスカイラインが並んで鈍く光っていた。スカイラインへ乗り込み、しばらくエンジンをふかした。冷えているので、少し時間がかかる。ヒーターを入れたかったが、バッテリーが上がってしまうので、我慢した。ようやくエンジンがかかった。

スカイラインを車寄せへ着けると、修一は家の中へ駆け込んだ。

「おーい！　早くしろよ！」

呼びながら、物置へ急ぐ。

「何してるんだ、早く！」

入口から呼びかけたが、返事はなかった。

「どうしたんだ……」

修一は下へ降りて行った。地下室には、雅子の姿はなかった。どこへ行ったのだろう？

修一は戸惑った。急いで階段を上り、ホールへ出ると、

「おーい！　どこなんだ！」

と大声で呼んだ。

その時だった。鋭い悲鳴が二階から聞こえて来た。

修一は一瞬、凍りついた様に立ちすくんだ。何があったんだ？　何も手違いはなかったはずだ。すべて計画通り行ったはずだ。――不意に気付いた。今の悲鳴は、芳子の声だ。

頭痛がする。……アルファ・ロメオが出て行く音は聞こえた。しかし、紀子と芳子が、二人とも乗っているかどうかは、確かめなかった。

芳子は行かなかったのだ。部屋で寝ていたのだろう。昌江は何も言わなかったが、修一も、そんな事など訊きもしなかったではないか。しかし――しかし、今の声は？　悲鳴は何なのだ？

修一は、広い階段を一気に駆け上がって行った。上り切った所で、修一は芳子が血まみれになって走って来るのを見て愕然とした。芳子のブルーのネグリジェの襟から胸元まで、朱《あけ》に染まって凄まじかった。恐怖に目を見開いて、芳子は真直ぐ修一の方へ走って来た。眼鏡をかけていないので、芳子にはほとんど何も見えないのだ、と気付いた時

は遅かった。修一に芳子はまともにぶつかった。修一は、踏み止まろうと足をひいて、段を踏み外した。

次の瞬間、修一は芳子ともつれ合うように階段を転落していた。勢いづいて修一は踊り場から数メートルも放り出された。激痛が襲って来て、たちまち修一は闇の奥へと呑み込まれて行った。

体が燃えるように熱い。下半身がしびれて、何も感じなかった。ようやく意識が戻って、視界がはっきり焦点を結ぶと、まず目の前に立って、横になった自分を見下ろしている紀子が見えた。

「気が付いたようね」

「……ここは？」

修一はかすれた声をやっとしぼり出した。

「地下室よ。雅子がいた部屋」

修一は、ゆっくり頭をめぐらして広い部屋の中を見回した。

「そうか。……僕は……」

「動かないで！」

紀子が鋭く言った。「両足が骨折してるのよ」

「何だって？」

「今は麻酔が効いているの。動いちゃだめ」

修一は、しばらく、考えをまとめようと必死になった。

「……ああ、そうだ。僕は雅子さんを逃してやった……」

「大変な事をしてくれたわ」

紀子が冷ややかに言った。「私も気付かなくちゃいけなかったのに」

「芳子さん……。そうだ！　芳子さんは？」

紀子は、突き放すような口調で、

「死んだわ」

と言った。

修一は息を呑んだ。

「まさか――」

「雅子に殺されたのよ。何度も刺されてね」

「実の姉を？　そんな馬鹿な！」

紀子の顔は仮面のように無表情だった。

「あなたには、何も分っていないのよ。雅子はあなたに色々と哀れな話を聞かせたんでしょう。冷たい姉たちにいじめられる哀れな妹の話を。でもね、雅子は本当に、人を殺したのよ」

「下男を殺したとか……」

「乱暴されそうになって、と言ったでしょう？　でも実際は違うの。私たちが見つけた時、雅子の服は乱れてもいないし、ボタン一つ取れていなかったのよ。——雅子は、昔から空想と現実の区別がつかなくなる事があったの。もし乱暴されたら、という想像をしているうちに、実際に暴行されているように思い込んで、ちょうど部屋へ入って来た下男を殺してしまったのよ。……その事件は、強盗に殺されたように装って届け出て、何とかうやむやにしてしまったのよ。でも私たちは、雅子を放っておくわけにはいかなかった。

私だって、あの子を、こんな所へ入れておきたくはなかったわ。でも精神病院へ入れて、医師たちの質問攻めにあわせたりしたら、あの子は自殺してしまったでしょう。脆い子なんですもの。本当に……」

紀子はしばらく言葉を切ってからまた話を続けた。「実は三カ月ほど前、雅子を一日地下から出してやったの。ずいぶん良くなって来たようだったし、芳子は反対したけれど。ところが雅子は隙を見て逃げ出したの。後を追うにも、雨の夜で。私は車で国道を走りながら、捜しまわったのよ。きっとどこか町へ出ようとするだろう、そう思ったから。ずいぶん走ってから、私は国道の真ん中に、あの子が立っているのを見つけたの。……裸だった。裸で、雨を浴びて立っていたの。私が何があったのかと訊いても、ただ酔っぱらったような顔で、笑っているだけ。着ていた物をどうしたのかと訊くと、やっとわき道の方を指さしたの。その奥に大きなトラックが停まっていたわ。運転席には男が……運転手が、首筋を切り裂かれて、死んでいた。中はもうそれこそ血の海で……。男の胸に剃刀が載っていて、それは父が以前に使っていたものだと一目で分ったわ。私はその剃刀と、雅子の服を持ち出して、雅子を車に乗せて連れ戻ったの」

「……彼女は？」

修一が呟くような声で訊いた。

「行方は分らないわ。あなたは知らないの？」

「分らない。……連れて行くつもりだったから……」

修一はふと気付いて、「どれくらいたってるんだろう、あれから」

「今日は日曜の夜よ。私は昨日、忘れ物があって戻って来たの。あなたと芳子が倒れていて、雅子は消えていた。すぐに事情は分ったわ」

「……とんでもない事を……僕は……」

「今は考えないで。死んでしまった者は還らないわ。熱が高いから、休まなくては」

「警察は？」

「私が呼んだわ。今朝までは大勢いたけど、もう帰ったわ。……ともかくもう休みなさい」

「僕は警察へ行った方がいいんじゃ……」

「だめよ。私に任せておきなさい。そのうち説明するわ。あなたはここにいるのよ。古い知り合いのお医者さんに診てもらうから大丈夫。できるだけ眠りなさい。また来るわ」

紀子は部屋を出ようとした。

「悪いけど……」

「なに？」

「水をもらえませんか」

「持って来てあげるわ」

「昌江さんは？」

紀子はちょっと目を伏せて、言った。

「昌江さんも島崎も、二人とも雅子に殺されたわ。四阿で眠り込んでいたのね。物置にあったシャベルで頭を割られたのよ」

紀子は出て行った。

A新聞　十二月××日
去る×日、峯岸紀子さん宅で妹の芳子さん（27）ら三人が殺された事件で、警察は行方をくらましている同家の家庭教師、上田修一（27）を重要参考人として全国に指名手配した。
妹を殺された紀子さんは、「下の妹の雅子が療養中で家にいなかったのが不幸中の幸いでした。思い出すのも辛い、恐ろしい事件です。早く犯人が捕まってくれたら、と思います」また、手配された上田については、「あの人が犯人とは思えない。たとえそうだとしても、理由は見当もつきません」と沈痛な表情で語った。

第二章　街（まち）

I

遥かな眼下に、夜が広がっていた。闇のビロードに細かく砕けたダイヤモンドを散り敷いたような夜景だった。

後藤浩三は腕時計を見た。九時を少し回った所だ。確かめるように、振り返って壁にはめ込まれたデジタル時計の数字を読んだ。〈9・04〉が、見るうちに〈9・05〉に変った。

後藤はまた歩き出そうとして、もうこれで三度も展望台を巡《めぐ》ったのを思い出し、足を止めた。

新宿、Kホテルの四十七階は、夜景がよく見えるように薄暗い照明になっていた。ここが新宿で初めての超高層ビルと騒がれたのは、何年前の事だったろう、と彼は思った。

初めのうちは展望台へ昇って来る高速エレベーターの乗り場には、長い行列ができたものである。しかし今はもうこの周辺に、いくつの超高層ビルが立ち並んでいる事か。三つか、四つだったろうか。すぐには思い出す事もできない。この展望台も、今はまばらなアベックの、ほの暗い影絵を浮かび上がらせているだけで、かつての賑《にぎ》わいが嘘のようだ。どんなに新しいものも、やがて旧《ふる》く、当り前のものになる。そうさせる時の流れを、後藤浩三は思った。子が親になり、その子がまた親になる……。そんな当然のくり返しが、なぜ感慨を起こさせるのだろう。

六十歳を越えた体では、時間つぶしにいつまでも歩いている訳にはいかない。展望台の一角の、喫茶コーナーに寄って、窓際のソファに腰を降ろす。カクテルを注文しようとして、バーでない事に気が付いた。紅茶を注文して、息をつく。

どうしようか。さっき電話をかけて、まだ二十分も経っていない。せめて三十分過ぎるまで待つ方がいいだろう。しかし、もしその間に——。そう思うと、いても立ってもいられなくなって、席を立ち、赤電話へと足を向けた。

ダイヤルを回して、つながるまでの空白が、気が遠くなるほど長い。呼出し音が二度とは続かず、相手の受話器が上がった。

「河合医院です」

「あ、あの……」

浩三は、気遅れがして、どもった。「さっきお電話した……」

「後藤さんですね」

看護婦の声が笑っている。

「そうです」

浩三はほっとして答えた。迷惑げな声を聞いたら、慌てて電話を切ってしまいかねなかった。

「息子さんに替ります」

すぐに、勇一が出た。

「父さん？」

「ああ、私だ。どうだい？」

「まだだよ。だって、さっきかけて来たばっかりじゃないか」

「そりゃそうだが……。で、まだかかりそうか？」

「さあ、もうすぐだって話だけどね。何とも分んないよ、これぱっかりは」

「大丈夫なんだろうな」

「大丈夫さ。そう心配しなくたって」

あいつの方がよほど落ち着いているな、と浩三は苦笑した。

「ずっと付いてるのも大変だろう」

「平気さ。僕の子供なんだからね」

勇一は、ちょっと間を置いて、「父さん、どこだい、今？」

「展望台だよ」

「まだいるの。部屋にいたら？　こっちから連絡するよ」

「のんびり部屋なんかにいられるもんか」

「まるで自分の子供みたいだね」

勇一が笑った。「まだしばらくかかるかもしれないんだ。もう休みなよ」

「分った、分ったよ」

「じゃあね」

電話を切ると、浩三は顔の冷汗を拭った。

赤電話から戻ってみると、彼と向かい合った席に、若い娘が坐っていた。小柄な二十三、四歳ぐらいの娘で、垢抜けしたすみれ色のコートを着て、エナメルのハンドバッグを膝に載せ、両手をコートのポケットに突っ込んだまま、じっと外の夜景を見ていた。

浩三が近づいて行くと、娘は顔を上げた。

「あ、すみません」

と席を立とうとする。「窓際の席が他に空いてなかったものですから、ごめんなさい」

「いいですよ、いいですよ」

浩三は娘を手で制して、「どうぞ坐っていて下さい。一向に構わないから」

「お邪魔じゃありませんか」

「いや、ちっとも。どうぞどうぞ」

娘は素直に微笑んで、

「すみません」

と、また腰を降ろした。

そういえばそうだ。浩三は思った。夜景の眺められる窓際の席を、こんな老人が占領してしまっては、いけないな。

「誰かと待ち合せですか」

浩三が訊いた。「それなら私が移りますよ」

「いいえ、違います」

娘が慌てて首を振った。

「お気遣いなく。どうぞ」

はきはきした物の言い方をする。気持のいい娘だな、と思った。「お気遣いなく」などという言い方を、この年頃の娘はほとんどしない昨今だ。コートの着方、坐り方一つにも、育ちや教養は現われる。この娘は気楽に腰を降ろしながら、少しもだらしない感じがしない。きっといい家の娘なのだろう。

むろん、家だけが大事なのではない。どんな暮しを送ろうと、人間としての気品を失わない人間がいる。嫁の裕子にしてもそうだ。裕子といえば、大丈夫だろうか。お産が軽いといいのだが……。

「あの……」

娘が遠慮がちに声をかけた。

「何です？」

「どなたかをお待ちではありませんの」

「いいや。なぜです？」

「しきりに時間を気にしておられるから……」

「いや、そうかな」

浩三は苦笑した。無意識に何度も時計を見ていたらしい。

「何でもないんですよ。ちょっとね」

浩三はやや間を置いてから、「まあ待ってるといえば、待っているとも言えますがねえ」

娘が物問いたげに目を開いた。

「孫が生れるのを待っておるんでね」

「まあ、お楽しみですわね」

娘が笑顔で言った。

「もうすぐ生れそうなんですが」

「病院へいらっしゃらないんですの？」

「仕事でしてね」

浩三は顔をしかめた。

娘が声を上げて笑った。浩三が驚いて見ると、

「だって、本当にいやそうな顔をなさるんですもの」

とまだ笑いながら言う。

「そんな顔でしたかな」

浩三も笑った。

「何のお仕事ですの？」

「弁護士です。明日の朝早くここで外国人と会う事になってるものだから、仕方ない。泊りなんですよ」

「でも——病院にはどなたか付き添っていらっしゃるんでしょう」

「息子が一緒にいます」

「なら安心ですわね」

「そうです。こんな所で気をもんでいても仕様がないんだが……。といって部屋にいても落ち着かなくてね」

ウェイターが紅茶を二つ運んで来て、伝票を一枚置いて行った。

「あ、これ別々です」

娘が声をかける。

「いやいや構いませんよ」

と浩三は手を振った。

「でも、それでは――」

「弁護士は悪徳稼業ですから、ご心配なく」

「――では遠慮なく。どうも」

熱い紅茶をすすりながら、浩三は、不思議な親しみをこの娘に覚えた。それは自分に娘がなかったせいかもしれない。

「初孫だからというだけではないんです」

浩三は言った。「色々といきさつがあったものでね」

娘は笑みを湛えた眼差しで静かに浩三を見ていた。妙だな、と浩三は思った。なぜ、こんな事を話すのだろう。見知らぬ娘に……。

後藤浩三には、遅くまで子供ができなかった。四十近くになって生れたのが勇一だった。妻は勇一を生んで間もなく世を去った。かなり高齢になってからの出産が、無理だったのだ。浩三は息子の教育に全力を注ごうとした。しかし、そう巧くは行かない。勇一は何事にも、気ままで、無関心で、いつも好き勝手をしていた。頭は良かったが、勉強は嫌いで、よくふらっと家をあける事があった。手の焼ける子供で、父親の言う事をなかなか聞こうとしなかった。

四年前、高校三年のとき勇一は大学へ行かない、と言い出した。勇一を弁護士にして後を継がせようと決めていた浩三には、勇一の言葉は大変なショックだった。浩三は、画家になりたいという勇一を殴りつけた。生れて初めて子供を殴った。それほど怒りは激しかったのだ。何とか勇一を私大の法科へ入れたものの、勇一はほとんど学校へ行かず、遊び歩くようになり、三年のとき浩三の知らぬ間に、退学届を出していた。そして、その事を浩三に詰問されると家を出て行ってしまった。

「私も意地になっていてね」

浩三は言った。

「それで、どうなさいましたの?」

娘が促した。

「三カ月、全く何の連絡もなくて……」

仕方なく、勇一の友だちに当って、ようやく、小さなアパートに住んでいる事を突きとめた。世田谷の実家から、驚くほど近い場所だった。環状七号の道路に近く、騒音や排気ガスのひどい所で、勇一は環七沿いのガソリンスタンドの一つで働いているのだった。浩三がガソリンスタンドへ訪ねて行くと、勇一は仕事が終るまで待ってくれ、と言った。夜八時、勤めが終るのを待って浩三は勇一に話をしようとしたが、勇一は、黙ってアパートへ来てくれと言った。

「で、私は渋々息子と一緒にアパートまで行きました。息子がドアを開けると――女がいて、息子はその女の肩を抱くと、『父さん、僕の妻の裕子です』と言ったんですよ」

浩三は嘆息した。

「少なくとも二十六、七歳にはなっている女で、どう見ても水商売の女としか思えませんでした。ショックだったな。私はカッとなって……何と言ったか、はっきりは憶えていませんが、息子をたぶらかして金をせびるつもりかもしれんが、絶対にそんな事はさせん、とか、そういった事を大声で怒鳴って帰って来ました。いかにも下品な、蓮っ葉な女。その時の私の目には、裕子という女がそうとしか映らなかったんですな」

浩三はもう勇一の事は考えまいとした。いなかったものと諦めよう、と思った。

浩三は失意のあまり、しばらくは仕事も手につかなかった。

「ある日、事務所に、若い女が訪ねて来ました。ちょっと見ても誰だか分らなかったんですが、それは裕子でした。彼女は、勇一と別れたい、と言って来たんですよ。そもそも二人が結婚したのも、酒に酔った勇一が、バーのホステスだった裕子と一晩過ごしたためらしい。裕子もただの遊びのつもりだったのに、勇一は目が覚めて、自分が彼女と一晩過ごしたと知ると、責任をとる、結婚しようと言い出したらしいのです」

裕子にとって、結婚という言葉は測り知れない魅力を持っていた。どうなるかを考えもせずに飛びついてしまった。

〈でもね〉

と裕子は肩をすくめて、言った。〈結婚さえすりゃいいっていうもんじゃないのね。あの人ったら、ここのところ毎晩、むつかしい法律の本ばっかり読んでて、口もきかないんだから……〉

「正直言って、驚いてね。あいつが法律に興味を？　そう思っただけで、目の前が明るくなった様でしたよ。裕子は別れるから当座の費用を少しもらえないか、と言いました。私はすぐにも小切手を書こうと思ったんです。ところが……」

「どうなさって？」

「私はね、弁護士です、人と会い、話をするのが商売だ。私ははっとしたんです。投げやり、というか、どうでもいい様な話し方をしている裕子をよく見ていてね、この女は心にもない事を言ってるのじゃないかと思ったんです。実際、気をつけて見れば、彼女の目には涙が光っていました。私は金を用意するから、明日来てくれと言って、彼女を帰し、すぐにガソリンスタンドへ勇一を訪ねました。勇一は裕子の事を聞くと、考え込んでしまって、法律書を読んでいるのは事実だと言うんです。しかしそれ以外は嘘だ。自分を家へ帰そうとして、身を退《ひ》こうとしているだけだ、とね。でも、決して別れる事はできない、と勇一はきっぱり言いましたよ。あれは妊娠しているんだから、と」

浩三は胸を激しく突かれた様に感じた。

取り澄ましたエリートよりも、この勇一や裕子の方が何と人間の心を持っているのか、と思った。

「私が家へ帰って来いと言うと、勇一は、裕子を置いては行けない、と首を振りました。だから言ってやりましたよ。裕子さんを連れて来なかったら、それこそお前を家の中に入れないぞ、とね」

娘がやさしく微笑んだ。

「いい事をなさいましたわ」

「そう思っとりますよ」

浩三は、あの時、勇一の、あどけなさと頑固さの同居する顔に浮かんだ泣き笑いの表情を忘れる事ができなかった。

「で、それからは何もかもうまく行ったんですのね」

「何もかもというわけでは、むしろありません。何と言っても裕子と我々とは育ちも環境も、あんまり違いすぎる。着る物の趣味もいいとは言えんし、大声を上げて笑ったりして、こっちがきまりの悪い思いをした事もあります。しかし、私は思うんですよ、今までの私の生活は、まあ言わば黒白の写真のようなものだった、とね。裕子はそれに色を与えてくれた。そう考えると、派手な服も化粧も、何も目くじら立てるほどのものじゃない、とそう思えて来てね。だから今は別に不満もありませんな」

「勇一さんは大学へ？」

「ええ、戻ると言っています」

浩三は満ち足りた笑顔を浮かべた。「私の後を継いで弁護士になってくれるでしょう。別に強制したわけでもないんですよ。本人が絵に一生をかけるほどの才能はないと判断したんですね。絵は趣味として続ける、と……。それでね」浩三は愉快そうに、「家へ戻って来た勇一は、記念におやじの肖像を描いたよといって見せてくれたんだが、何と六法全書が背広を着て老眼鏡をかけている絵なんですよ。皮肉屋でね！」

娘も一緒に笑い出した。

「素敵なご家族ですわね」

娘は言った。「私もそんな家へお嫁に行きたいと思います」

浩三は娘を改めて、まじまじと見て、

「あなた、おいくつですか？」

「二十四になります」

「いい年齢《とし》だ。全く人間の一番盛りですな。すべてが一番美しい。——好きな方はおいで& でしょう？」

「ええ……」

娘がちょっと目を伏せた。そして、ふと気が付いたように「もうお生れになったかしら……」

「お、そうだった」

浩三は時計を見て、「こんな長話になっているとは。ご迷惑だったでしょう」

「いいえ、とんでもない」

「ま、老人にひとつ親切をしたと思って下さいよ」

「そんな事……。でも、素敵な日に生れて来るんですね」

「というと？」

「あら、今日はクリスマスですもの」

「そうか」

浩三は思わず頭を叩いて、

「クリスマスか。いや、本当ですね。すっかり忘れていた」

「きっと素晴らしいお孫さんですわ」

浩三は何か熱いものが胸を満たして行くのを感じた。

「生れていたら、すぐ病院へ行ってやりますよ」

「でもお仕事がおありなんでしょう」

「なに、かまやしません。どうせちょくちょくヨーロッパには出かけるんです。今度行った時に会う事にしますよ。じゃ、失礼して電話して来ます」

「ええ、どうぞ」

浩三は席を立って、電話へ急いだ。壁際の、ちょっと陰になった一角で、少し薄暗くなっている。十円玉を入れ、ダイヤルを回す。

「河合医院です」

同じ看護婦の声だ。

「後藤ですが……」

「あ、後藤さん」

浩三は急に鼓動が速まるのを感じた。看護婦の口調がさっきとは違う。

「お生れになりましたよ」

看護婦が言った。

「そうですか！　で、両方とも無事で……」

「ええ、元気ですよ。息子さんと替りましょう」

浩三は背後に人の気配を感じた。振り向くと、あのすみれ色のコートの娘が立っている。

「生れたそうですよ！」

浩三は娘に言った。

向こうの電話口で物音がした。勇一が出たのかと思って浩三は娘に背を向け、

「もしもし。もしもし」

と呼んだ。「——まだ出ないのかな……」

浩三の背中を見つめていた娘は、コートのポケットから手袋を取り出してはめると、手にしていたエナメルのバッグを開けて、鋭く光る刃渡り十センチほどのナイフを取り出した。

浩三は、背中の真ん中あたりにかすかな痛みを感じたが、振り向いてみるほどでもないので、そのまま電話の方へ向いて、勇一が出るのを待った。急に手から受話器が滑り落ちそうになった。重かった。受話器がだしぬけに、ぐんぐん重くなって片手で持ち切れなくなった。何だ。一体どうなっているんだ。両手で慌てて受話器を支えようとしたが、支え切れず、受話器は床にぶつかりそうな所まで落ちて、コードの張力ではね上が

って揺れた。拾わなくては、拾わなくては……。浩三はかがみ込もうとして、そのまま立ち上がれなくなった。体が重く重くなって来る。戦争中、雪の満州を行進して、足が鉛のように重くなった時の事を思い出した。歩かなくては、小隊長に殴られるぞ。歩け！　歩け！　顔を上げると雪の中に勇一が立って笑っていた。腕に赤ん坊を抱いている。雪だ。寒いじゃないか、勇一、赤ん坊が風邪を引くぞ！　早く暖かい所へ……早く……。暗くなった。停電かな？　浩三は思った。そして、何もかもが闇の底へと沈んで行った。

すみれ色のコートの娘は足下にうずくまった老人を無表情に見下ろした。背中にナイフが突き立ったままになっている。娘は素早く踵《きびす》を返してエレベーターの乗り口へと歩き去った。

微《かす》かに揺れている受話器から、弾むような声が聞こえて来た。

「もしもし、父さん？　生れたよ！　男の子だ、元気一杯のね！　父さん！　生れたんだよ！　聞いてるのかい？」

2

つけっ放しのテレビから、「蛍の光」の合唱が流れていた。画面ではマイクを手にした司会者と振袖姿の少女タレントが、精一杯感動を盛り上げようと、声を張り上げ、自分自身も感動しているように見せかけようとしていた。

「皆さん！　後十秒です！　九、八、七……」

まるで人工衛星の打上げだ。

「……三、二、一、皆さん、明けましておめでとう！」

「蛍の光」が突然「年の始めのためしとて……」に変った。

美奈子は、ぼんやりと畳に寝転んでいた。賑やかな音だけが、頭上を通り過ぎて行った。

テレビでは司会者が、何人かの新人歌手に今年の抱負は、などと訊ねている。「精一杯、頑張ります」と同じ返事ばかりが返って来た。

今年は——いや、去年は何という年だったのだろう、と美奈子は思った。生涯、側にいたいと思う男性と夢のような日々を送って数カ月——。こうしてまた一人ぼっちで年を越そうとは、想像もしなかった。

美奈子は、修一がいないと、この部屋はずいぶん広く見えると思った。あの人は背が高いから。

この正月、美奈子は田舎へ帰るつもりだった。できれば修一と一緒に行って、両親に会ってもらうつもりだった。急用ができて、今年は帰れないから、と両親へ手紙を書きながら、美奈子は、もしかして修一がそれまでに戻って来たら、などと考えた。しかし今はそんな望みも消えた。

両親に、修一の事は何も知らせていなかったから、当然両親も、あの峯岸家で起こった惨劇のニュースは知っていても、容疑者と目されている消えた青年が、娘の恋人だとは知るはずもなかった。

美奈子も警察へ呼ばれたが、新聞は「A子さん」と書いただけだったし、友人にも知る者はなかった。ただ、ある女性週刊誌が、〈私の恋人は殺人犯ではない！ 涙で訴える『森の館殺人事件』容疑者の婚約者〉というタイトルの記事を掲載し、美奈子を隠し撮りしたものらしい、ぼんやりした写真を載せたが、幸い知人の目には触れなかったようだ。この週刊誌も、美奈子が、興味本位の記事に怒って編集部へ怒鳴り込んでやったので、以後は沈黙してしまった。

彼はどこへ行ってしまったのだろう。美奈子は、修一の行方を求めて、彼の友人に当ってみた。しかし、それにかけては専門の警察が、必死の捜索をしているのだ。美奈子に何かがつかめるはずもなかった。

大学が冬休みに入り、時間はできたが、美奈子はただ、こうして部屋に坐って待っていた。年が変るまでには、ひょっこり帰って来てくれるのではないか。理由もなく、そう思っていたのだ。

何かしなくては。美奈子は思った。何か、何でもいい、何かしなくては、どうかなってしまいそうだ。美奈子は起き上がってテレビを消した。考えるのだ。自分に何ができるか、考えるのだ。警察が何だろう。どんな専門家だって、私ほどには、修一さんの事を知りはしないのだ。私にしか分らない事だって、きっとある。

修一がもう生きていなかったら……美奈子はそれだけを怖れていた。修一が人を殺したなどとは信じた事はむろんなかったが、万が一、人殺しであっても構うものか、と思った。生きて、無事でいてさえくれれば。

あの峯岸家の紀子という女性に会いたいと思って、美奈子は電話をかけたが、すでにあの館は無人になっているらしく、電話も使われていなかった。美奈子は、自分になすべき事があるとすれば、まずあの館だ、と思った。館を隅から隅まで、くまなく調べ回る事だ。何かが発見できるかもしれない。けれど、中へ入れるだろうか。いや、入ればいい。何としても入るのだ。

美奈子は、決心した。まず行ってみる事だ。館の様子を探ってみて、すべてはそれからだ。決心すると、美奈子は手早く小さなボストンバッグに身の回りの物をつめ始めた。

「——そうだ」

浅倉教授にことわっておかねばならない。修一の事で、何か手掛りが見つかるまでは戻るつもりはないのだから。

たぶん、まだ起きているだろう。美奈子は近くの公衆電話から教授の自宅へ電話をかけた。

「はい」

眠そうな声の夫人が出た。

「牧美奈子ですが」

「あら、久しぶりですね」

美奈子は時々仕事で教授の家へ泊る事があるのだ。

「先生はまだ起きておいでですか」

「書斎で何やらやっていますよ」

「大晦日なのに、ですか？」

美奈子は思わず声を上げた。

「あの人は家を学校の一部ぐらいに思っているんですよ」

夫人は笑いながら言った。「ちょっと待ってね」

しばらくして、浅倉教授の声が聞こえて来た。

「牧美奈子ですが……」

「おお、牧君か。ちょうどよかった。資料が一つ見つからんのだ。ノイベルトの論文は確か君がコピーしてくれたんだな」

「先生、ご自分で黒い鞄の内ポケットへしまわれたと思いますけど。実は先生、申し訳ありませんが、しばらく休ませていただきたいんです」

「何か用でもあるのかね？」

「修一さんを——上田さんを捜したいんです。何とかして見つけるまで、休みをいただきたいんです」

「上田君か。うん。そういえば最近見かけんな。どこかへ行っとるのか？」

美奈子はため息をついた。先生は新聞なんかめったに読まないんだっけ。

「ま、いいさ」

教授は続けて、「今の所、そう用事もたまっとらん。休んでもかまわんよ」

「申し訳ありません」

「それから、もし上田君に会ったらな、フランスにいる時、捜してくれと頼んどいた本があるんだが、見つかったかどうか聞いてみてくれ。わしも忘れとったんでね」


酒井肇は座席に坐り直して、プログラムを広げた。もう何十回見たか分らなかったが、その度に何とも言えないくすぐったさがこみ上げて来るのを抑えられなかった。それはありふれた水色のB5判四ページのパンフレットで、一ページめは〈第六五回東京都管弦楽団定期演奏会〉とゴシックで題記してある。二ページめは今夜の演奏曲目。三、四ページは曲目と演奏者の紹介となっていた。

酒井はちょっと苦々しい思いで二ページめの曲目を眺めた。それにしても、相も変らず「新世界」か。前半はドヴォルザークの序曲「謝肉祭」とモーツァルトのピアノ協奏曲。そして休憩を挟んで、酒井肇作曲「無限境」。最後がドヴォルザークの交響曲「新世界」だった。アンコールとしてはヨハン・シュトラウスのワルツ「美しく青きドナウ」が予定されていた。ごった煮的なプログラムで、曲目に何の一貫性もない。指揮者の音楽的良心と、楽団側の客集め上の要請との妥協の産物——それがプログラムというものなのである。

それにしても、年末に「第九」、新年に「新世界」とは、何と能のない話だろう。酒井は思った。せめてバルトークかシェーンベルク。シェーンベルクが無理ならストラヴィンスキーぐらいにしておいてほしかった。

しかし、本当の所、酒井自身、こうしてほとんど無名の現代作曲家の新作が取り上げられる事自体、極めてまれな幸運である事を充分承知していた。

酒井は四十七歳。小太りで、色の浅黒い、およそ作曲家というイメージとはほど遠い風貌であった。度の強い眼鏡と、長くのばした髪が、わずかに、知的、芸術的職業に携《たずさ》わっている事を示していたが、顔の大きさの割に、造りの小さな目鼻立ち、はげ上がった額が、むしろこっけいな印象を与える。

酒井は東京文化会館の大ホールの中をゆっくり見回した。開演まであと二十分しかないというのに、客席は半分も埋っていない。何しろ正月の十五日である。コンサートを聴きに行こうなどという閑人はあまりいないのだろう。それにしても、これでも日本は文化国家と言えるのだろうか。定期演奏会を満席にできるのはN響くらいのもので、他はどこもガラガラといっていい寂しさである。赤字になっても国家や都市の補助のあるヨーロッパのオーケストラと違って、日本のオーケストラは孤立無援に等しい。政治家は音楽を芸者の三味線ぐらいにしか考えていないし、大企業はプロ野球チームを養う金はあっても、オーケストラなどには見向きもしない。オーケストラは常に楽団員不足で、演奏会の度に、足らない分を他のオーケストラや、フリーのＯＢ、アマチュアあたりから「借りて」来るのである。

そんな情勢の中で、楽団側が少しでも客が来る様に、ポピュラーな曲を並べたがるのも無理はないのである。

酒井の作品が今回取り上げられたのも、決して彼の作曲家としての知名度、力量の故ではなく、単に、音楽学校時代の旧友である指揮者を通じて、ずっと何年も前から頼み込んでおいた事が、やっと実現したというだけの話なのであった。酒井自身は高校の音楽教師で、フォークやロックしか知らない高校生を相手に、音楽の歴史だの調性の話だのを欠伸《あくび》まじりにくり返しているのだ。だから、作曲家とはいっても、その作品が印刷され、演奏されるのは何年かに一度、あるかなしかで、ほとんどは楽譜の上のなぐり書きに終っていた。むろんこれは酒井に限った話ではない。依頼を受けて作曲するのは、ごく一部の著名な作曲家だけで、それ以外の大多数は無名のまま、音にもならぬ作品を次々と机に積んで行くのみである。由緒《ゆいしょ》ある名門音楽学校の教授あたりとコネでもあればともかく、そうでなくては、一生、自分の作品を音で聞かずに終る者が少なくない。独奏曲や室内音楽ならともかく、オーケストラ曲となればなおさらである。しかし、作曲家を志す者なら一度は大編成のオーケストラを思い切り駆使して鳴らしてやりたい、というのが夢なのだ。

ようやく座席が埋り始めて、酒井はほっとした。友人たちにも連絡しておいたのだが、何人ぐらい来てくれるだろうか。思わず、そっと周囲の顔を見回している酒井の心境は、わが子のピアノの発表会を見る親のそれであった。

オーケストラのメンバーがステージにぼつぼつ姿を見せ始め、めいめいが楽器を適当に鳴らし始めた。酒井はこの時間が一番好きだった。弦、管、打、それぞれが勝手に音を合わせたり、これから演奏する自分のパートの難しい部分をさらったりする音が、交錯し、混り合ってホールに響き合う。それこそ何よりも素晴らしい音楽だ。

開演が迫って、急に客席がざわついて来る。いいぞ、今日は八割の入りだ。定期演奏会としては珍しい。自分の作品のせいでない事ぐらい百も承知だが、評論家や大学教授などの耳に入る好機でもあり、少しでも多くの人に聴かれるのが、作者として嬉しくないはずはない。

コンサートマスターが登場し、オーケストラが沈黙する。オーボエがAの音を出すと、一斉に全部の楽器が音を合わせる。オーボエに合わせるのは、オーボエが気温や湿度から来る音程の狂いが最も小さいからである。

さて、まだ主のいない指揮台の前に全メンバーが席について沈黙すると、客席はひとしきり咳払いの大合唱となる。日本人はどうしてこう身構えてクラシックを聴くのかと、酒井はいつも苦笑してしまう。もっとリラックスしていられないのだろうか。大部分の聴衆は音楽を聴くというより、座禅でも組んでいるみたいに身体を固くしているし、そうでない客は居眠りをしている。さあ、始まりだ、と酒井は席にゆったりくつろいだ。

「あの指揮者はカラヤンかぶれだねえ」

「そうそう、まるでカラヤン……」

「モーツァルトがあれじゃ重すぎるよ」

「テクニックは悪くはないが」

「最近のピアニストは技術ばかりで……」

休憩時のロビーはさしずめ批評家の大集合である。酒井はロビーの奥に空いたシートを見つけて腰を降ろし、ポケットからタバコを取り出した。ライターで火をつけて、一服思い切り喫うと、緊張がほぐれて行くのが分った。休憩の後が彼の作品である。聴衆が前半だけで帰ってしまわないように、彼は前半の好調を期待していた。期待はまずまず満たされたといえる。ピアニストはまあ無難な出来。指揮者はまだ若年だが、ヨーロッパの指揮者コンクールで入賞し、すでに欧米のオーケストラを何度か振っていて、酒井も先年、遊びでヨーロッパを回った時、一度聴いた事があった。今日も、オーケストラから自分の音を引き出そうとする意欲は充分に感じられたが、残念なことに、オーケストラの方の技術がそれについて行けない、もどかしさがあった。しかし、酒井はまず自分の作品の演奏を任せるのには、いい指揮者だと思っていた。新しい作品は、やはり若さを求めている……。

「酒井先生ではございませんか」

　急に若い女の声がして、酒井は飛び上がらんばかりに驚いた。清楚な水色のワンピースを着た二十四、五歳の女性が、立っていた。真珠のネックレスをかけて、手には白い皮のバッグを持っている。彫りの深い、整った顔立ちで、切れ長の目が、魅力的な笑みを浮かべて、彼を見つめていた。どう考えても、見憶えのない顔である。

「酒井ですが……ええと……失礼ですが、どなたでしたか……」

「突然、失礼しました。私、初めてお目にかかる者ですが」

「はあ」

「実は以前に先生の作品を聴かせていただいた事がありまして」

「僕の、ですか？　いや、思い違いじゃありませんか」

　酒井は自嘲の気もなく、全く本気に、そう言ったのである。

「僕の作品はほとんど……」

「あら、でも確かに。……ええと」

　若い女は、ちょっと宙に目を浮かせて、「確か、ソプラノの独唱会だったと思いますわ。『ソプラノ独唱のためのロンド』あれは先生の……」

　酒井は思わず首を振って、

「いやあ、驚いたな。あれを聴いてらしたとはね。あの曲は、あの時以来、一度も演《や》られていないんですよ」

「まあ。もったいないわ、あれほどの曲を」

酒井は彼女に隣へ坐るようにすすめた。自作を知っている人間に出会うという、稀《まれ》な体験に加えて、しかも相手が若い、美しい女性であるとなれば、これはいい気分にならなければおかしい。

「あ、あの」

酒井はちょっとどもって、「あなた、音楽学校か何かに通ってらっしゃるの？」

「いいえ、ただの素人で、何も楽器もやりませんし」

「でも、それにしては、あんな現代歌曲の会なんかによく行きましたねえ」

「正直言って、あまり得意ではありませんの」

彼女は微笑して、「現代音楽好きの友人に無理に誘われてついて行ったんです」

「半分も入っていなかった。よく憶えてますよ」

「ええ、私たち後の方の席にいたんです。そしたら、友達が、『あそこにいるのが、作曲家の酒井肇だ』と教えてくれました」

「作品を聴いてみて、どうでした？」

「ええ……何と言っていいのか、私、素人でよく分りませんけど……とても感動しました。本当です。他の作品は私には、何だか実験的な興味だけで作られているみたいに思えて。でも先生のは、本当に作りたい通りに作ってらっしゃる感じ。保守的とか前衛的とか、そんな事関係なく……」

酒井は肯いて、

「いや、嬉しいですよ。そう言っていただけるとね。僕も作品が手法を決定するのであって、手法が作品を決定するのじゃない、と信じているんです」

酒井はつい授業の時のような口調になった。

「その通りですわ。私、そう思います」

「まあ、仲間の連中から、こういう思想は古い、といつもやられますがね」

この娘は本当に僕の音楽を理解してくれている。そう思うと、酒井は心から嬉しくなった。

「今日のお作はどんな風ですの？」

「ええ、まあ、何と言うかな、手法的には、低弦の長い持続音の上に、高弦や管が乗っかるんですが……」

酒井は熱心に曲の構成、モチーフ、テーマを説明し続けた。彼女は、まるで好きな映画スターの話でも聞いているような熱心さで、彼の話に聞き入っていた。

開演五分前のチャイムが、ロビーに鳴り渡って、人波がざわざわとホール内へ戻り始めた。

「始まりますわ」

「そうですね」

酒井は、この時間の終るのが残念だった。

「参りましょう」

二人はホールの入口へ歩き出した。酒井は彼女に演奏会が終った後、話をしませんかと誘いたかった。しかし彼は自分の年齢と、風貌と、そして女房も子供もいる事を、よくわきまえていた。

「よろしかったら」

娘がホールの入口で立ち止まって、「終った後、またお話を聞かせていただけませんか？」

「いいですとも！」

「では、済んだら外でお待ちしています」

「出口の所で？」

「いいえ――」

娘はちょっと考えて、「外の公園の方で。あまり人が多いと見つけられませんもの」

「いいですよ」

夢見心地で、酒井は席に着いた。頬が上気して、胸が高鳴っているのは、自分の曲が演奏されるせいか、あの娘のせいか、彼自身、よく分らなかった。

演奏会は予定通り、「美しく青きドナウ」で終った。酒井はホールを出る人波にもまれながら、今まで味わった事もない、幸福の輝きに包まれている自分を感じていた。彼の作品の演奏は、まず充分に彼の意図を体現していたし、聴衆の反応も悪くなかった。途中、退屈げに咳払いしたりする輩《やから》もいたが、現代音楽アレルギー症なのであろう。大部分の聴衆は興味を持って耳を傾けているのがよく分った。演奏もよく緊張感を保ったもので、低弦が、時として息切れしそうになり、はらはらさせたものの、全体によく健闘したと言ってよかった。

記念すべき夜だ、と酒井は思った。この作品が批評家の注目をひく事でもあれば、もっともっと彼の作品が演奏される機会も増えるだろう。しかし、今の所は、今夜の充実したひと時だけで充分だった。

あの女性はどこで聴いたのだろう。酒井は人波の中に彼女の顔を捜した。彼女がどう思ったか、早く聞いてみたかった。少なくとも、この瞬間には、どんな批評家より、あの女性の感想の方が、彼には重要なものに思えた。

ホールを出てロビーへ吐き出された人波は目の前の上野駅へ向けて流れて行く。酒井は外へ出ると、一人流れから外れて、会館の建物をぐるっと回って、人気のない砂利道を歩いて行った。

公園の方、と言ったが、まだ彼女は来ていないようだった。

乾ききった冷たい風がコートの襟から吹き込んで来る。もう九時頃になっている。身体の芯まで冷えるほどの寒さのはずだが、酒井は一向に気にならなかった。あたりを砂利を踏みながら歩き回るのも、寒いからでなく、浮き浮きとして、心が騒いでいるからだ。

背後に砂利を踏む足音がして振り向くと、あの娘が黒いコートを着て立っていた。水色のワンピース姿の時よりも、大人びて女っぽく見える。

「やあ」

酒井は笑いかけた。「待ってましたよ」

「お待たせして」

娘が、ちょっと周囲を見回すと、「どこかお話できる所に参りません?」

「そうですね。ともかく駅の方へ行きましょう」

歩き出そうとすると、娘が「ちょっと」と声をかけた。

「何です?」

「すみません、靴下が……。直すので、ちょっとそちらを向いていていただけます?」

「ええ、分りました」

酒井は娘に背を向けて、所在なく靴の先で砂利をかき回していた。——不意に背に痛みを感じて、振り向いた。

酒井は、何が起こったのか、分らなかった。娘が急に固い表情になって、さっと背を向けて歩いて行くのを見送っていた。どうしたんだ。何で行ってしまうんだろう。

酒井は痛む背中へ手を回してみた。何かが突き出ているのが分った。一体、こんな所に何が——。急に膝の力が抜けて、酒井は砂利に膝をついた。視界がかすんで来る。漸く、自分があの娘に刺されたのだと思った。なぜだ？　なぜだ？

だが、答えを見つける前に、酒井の生命はその働きをやめていた。

3

電話がしつこく鳴り続けた。遠藤はニカワで貼りついたような瞼をむりやり引き離して舌打ちした。ぶつぶつと見えぬ相手に当り散らしながら、布団から起き出して電話へ手をのばす。寒さに身が縮まる思いだ。もし間違い電話だったら、逆探知して逮捕してやる！

「はい、遠藤」

「警部ですか！」

巻川刑事のキンキン声が聞こえた。やれやれ、この寒い夜中に出かける事になりそうだ。ちらりと壁の時計を見ると、一時四十分だった。

「何だ、こんな時間に」

「殺しです。おいでいただきたいんですが」

「どこだ」

「上野です。文化会館のわきです」

「何か問題があるのか？」

「ナイフなんです」

遠藤は受話器を握り直した。急に眠気が消し飛んだ。巻川刑事の声が続けて、

「クリスマスのKホテルの件と同じナイフのようなんです」

「すぐ行く」

電話を切ると、遠藤は洗面所へ行って顔を洗った。頭はまだ重いが、目ははっきりした。寝室へ戻ると、明りがついていて、妻の洋子が、布団の上に起き上がっていた。

「お出かけですの」

「うむ」

遠藤はパジャマを脱ぎ捨て、タンスの中をかき回し始めた。

「こんな夜中に……」

洋子が布団に坐ったまま、不服気に言った。「何もあなたが行かなくたって。若い方々がいらっしゃるじゃありませんか」

遠藤は黙ってズボン下をはき、長袖のシャツを着て、靴下をはいた。

「少しはお年齢《とし》を考えて下さいな」

洋子は坐ったまま続けた。

遠藤はワイシャツを捜していた。いつもタンスの二番目の引出しか三番目か、忘れてしまうのだ。洋子がため息をついて立ち上がると、

「そんな薄手の靴下じゃ寒いですよ。厚手のを出しますから」

遠藤は、黙って妻が靴下やワイシャツ、ネクタイ、ハンカチ、と、まるで手品のように自分の目の前に並べて行くのを見ていた。何年、何十年とくり返されて来た習慣のようなものだった。

背広を着ると、洋子がマフラーを夫の首に巻く。オーバーを後から着せながら、

「ポケットに手袋が入っていますからね、表へ出たらはめて下さいよ」

「うん」

「手袋をはめると、シャツ一枚分違いますからね」

遠藤は、肯くと、

「行ってくるよ」

とぽつんと言った。

遠藤徹夫は五十二歳。警視庁のベテランである。警部になってすでに十年たつ。功績や実力からいって警視の地位についていても当然だったが、世渡りの不器用な事が災いして、ずっと警部のまま終りそうな様子だった。彼自身は決してそれを不服に思ってはいなかった。むしろ妙に厄介な責任をしょい込んで、デスクで頭を痛めるよりは、現場を調べ、歩き回り、捜し回る方を好んでいたのだ。

とはいえ、こんな冬の寒風の中へ出て行くと、妻の言葉は身にしみた。確かにもう若くはないのだ。何十年か昔、かけ出しの刑事だった頃、雨の中、一人で三日三晩、飲まず食わずで張込みを続けた事があった。情熱と若さがあって、初めてできる事だ。情熱

だけでは、年齢を帳消しにはできない。情熱は、神経痛もリューマチもいやしてはくれない。

しかし、行かなくては、と遠藤は思った。膝が痛んだが、がまんできないほどではなかった。といって無理して捜査に差し支えてはいけない。遠藤はタクシーを拾った。

「上野の文化会館」

乗り込んで、言った。

「こんな夜中に、何かやってるんですかい？」

運転手が不思議そうな顔で振り向いた。

「ちょっとしたお祭さ」

遠藤はそう言うと、シートにもたれて目を閉じた。

正直な所、Kホテル展望台での殺人事件は、遠藤を困惑させていた。つかみ所のない事件であった。なぜ犯人はわざわざ人目の多い場所を選んだのか。電話のある所は陰になっているとはいうものの、いつ人がやって来るか分らない事に変りはない。それに動機は何か。いくら調べても、老人は殺されるような人間とは思えなかった。弁護士という職業柄、恨みを買う事もあるのかもしれない。しかし殺された老人は主に民事事件を扱う弁護士なのである。それに怨恨による殺人にしては、殺し方が巧妙であった。ナイフの冷静な、ただの一突きが老人の命を奪ったのだ。プロの殺し屋かと思わせる腕である。目撃者もない。老人が若い娘と話をしていた事は分っているが、その青っぽいコートの娘も、警察の呼びかけにもかかわらず、姿を現わさない。まさかその娘が犯人とは思えないが、鋭く研ぎすまされたナイフは、女でも容易に使える。ナイフそのものから、何かがつかめそうに思えた。手袋をはめていたらしく、指紋はなかったが、珍しい型のナイフで、小型で細身ながら、切れ味は素晴らしい。柄に古美術風な装飾が施してあり、専門家に見せると、すぐH社の品だと判った。早速、ドイツの製造元へ照会してみたが、返事はまだなかった。

しかし、今夜の事件が、もしナイフの線がだめになれば捜査は難航するかもしれない。共通した動機が発見できるだろう。もし同じ犯人の犯行ならば、話は変って来る。二つの事件に共通した動機が発見できるだろう。そうなれば、容疑者も浮かんで来るに違いない。遠藤は楽天的に考えていた。

いつの間にか眠っていた。

「だんな、着きましたよ」

運転手の声で目を覚ますと、遠藤は金を払って、車を降りた。文化会館の一風変ったデザインの建物が、目の前にずっしりと横たわっていた。パトカーや新聞社の車が何台も停まっていた。撮影用のライトが、建物の横手を、真昼のように明るく照らし出し、二、三十人の人間が動き回っていた。タクシーで暖まった体が、また冷えて来て、遠藤は身震いした。

ニュースカメラマンとぶつかりそうになりながら現場へ近づいて行くと、巻川刑事が遠藤を見つけて駆け寄って来た。小太りの、ころころした感じの男で、昔風に言えば質屋の手代という所だ。いつも駆け回り、歩き回っている。頭は禿げ上がって、四十代の半ばのはずだが、童顔のせいか、若く見える。

「警部、夜中に申し訳ありません」

「いや、構わん。どこだ?」

「こっちです」

男は砂利道にうつ伏せに倒れていた。遠藤が巻川刑事の顔を見ると、

「写真も全部終っています」

訊かれる前に、巻川が答えた。

遠藤は肯くと死体の傍にかがみ込んだ。

「Kホテルの時と同じだな。誰が見つけた」

「文化会館の警備員です」

警備員は、三十五、六歳の逞しい男だった。民間のガードマンのような制服を着ている。

「帰る前に会館の外を一回り見回ったんです。むろん、正面だけで、こんな方までは来ませんが、遠くからでも人の倒れてるのが、分ったんです。で、きっと浮浪者だろうと。この辺にはいくらもいますからね。いつもなら放っておくんですが、何しろこの寒さでしょう。凍え死んだら、と思って、見に来たんです。起こして交番へでも連れて行こうと思いましてね。ところが来てみると……」

警備員は青ざめた顔で足元の死体を気味悪そうに見下ろした。

「何時頃でした？」

遠藤が訊いた。

「十一時半ぐらいだったと思います」

遠藤は巻川の方へ、

「死亡推定時刻は？」

「九時ごろだろうって事です」

「九時……」

遠藤はちょっと考えて、「今日は何かあったんですかな？　その……催し物が」

「はい。都管の定期でした」

「何です？」

「失礼しました。東京都管弦楽団の定期演奏会です」

「なるほど、コンサートですな」

「はあ」

「この男はその客だったようですよ」

巻川が口を挟んだ。「これを持ってました」

手袋をはめた手で巻川が差し出したのは、血で汚れたプログラムだった。

「今夜の演奏会のものです」

警備員が肯いた。

遠藤はプログラムをそっと広げて目を通した。

「鑑識へ回しておけ」

プログラムを巻川へ渡すと、再び警備員の方へ、「演奏会が終ったのは何時です?」

「八時……五十分ごろでしょう」

「すると客が大体いなくなるのが、九時ですな」

「少し過ぎですね」

「すると、この男は演奏会が終って出て来て殺されたと考えてよさそうだ」

「オケの連中が引き上げたのが十五分頃でした」

「オケ?」

「あ、オーケストラの事です」

「なるほど。しかし判らないな」

遠藤は首を振った。「帰り客は誰でも駅の方へ行くんでしょう? なぜこの男はこっちへ来たのかな」

「犯人と一緒だったんでしょう」

巻川が言った。「ちょっと話がある、とか何とか言って誘い出したんでしょうね」

「となると、犯人は被害者の顔見知りか、または少しも危険を感じさせない人間だったという事だな。近付いてくれれば砂利を踏む音ですぐにそれと分るはずだ。それでも平気で背中を向けていたんだから。——いや、どうも」

と警備員へ、「明日にでも調書を取らせてもらいます。今日はお引き取り下さい」

「警部」

警備員がいなくなると、巻川が言った。「Kホテルにいた、あの若い女の事を考えているんですか？」

「うむ。男が一番危険を感じないで、気を許す相手といえば、若い女以上のものはない」

「しかし若い女が、ナイフで大の男を刺し殺すなんて……。信じられませんね。しかも、一突きですよ」

「わかっとるよ」

遠藤は息をついた。「冷えるな、えらく。男の身元は？」

「身分証明書がありますよ」

巻川は鑑識課員の所へ走って行って、証明書を手に戻って来た。「——酒井肇、四十七歳。教師、となってますよ」

「酒井肇？」

遠藤はしばらく眉を寄せて考えこんでいたが、「おい、さっきのプログラムを見てみろ」

「あれ？」

巻川がプログラムを広げて目を見張った。「この男、作曲家なんですね」

「弁護士、次は作曲家か」

遠藤は呟いた。

「あまり関係なさそうですね」

「何とも言えんが、何かあるはずだ。おい、寒いな。どこか熱いコーヒーでも飲める所はないのか？」

「警備員室へ入れてもらいましょう」

「そうするか」

遠藤は、俺もすっかり老い込んだな、と思いつつ、建物の裏手へ歩き出した。体の節々がこわばってしまっている。

「どう手を打ちます？」

巻川が訊いた。

「新聞で今夜の客に呼びかける。被害者を見かけた者がないかどうか、な。まあ、あまり期待はできんが」

「今日の客なら、大体はつかまるはずですよ」

遠藤は、まさかという顔で巻川を見た。

「いちいちコンサートを聴きに来る客の住所氏名を控えておくのか？」

「いいえ。でも今日は定期演奏会ですからね。会費を払っている定期会員が半分以上はいるはずですよ。この連中なら、楽団側で名簿があるから、分りますよ」

「すると、客が二千として……」

「千二、三百はじかに話を聞ける勘定です」

「うまいぞ！　被害者の知人もいるかもしれん。見かければ誰が一緒だったか憶えているだろう。朝になったら早速かかってくれ」

早速、といっても楽な仕事ではない。まず次々に電話をかけ、話を聞くだけで何日もかかるだろう。可能性のありそうな相手を絞って会いに行くのも大変な仕事だ。まあ仕方ない。これが捜査というものだ。

「定期演奏会の事なんか、よく知ってるな」

遠藤はいぶかしげに言った。

「こう見えても、私はクラシックファンなんですよ」

「ほう！　そいつは初耳だ」

「指揮者の勉強をしたいと思った事もあったんです」

巻川が遠い昔を愛惜するように言った。遠藤は、巻川が黒いステージ服に蝶ネクタイをしめて、指揮棒を手に、指揮台に立っている所を想像してみた。そして呟いた。

「――無理だな」

「は？　何です？」

「いや、何でもない」

遠藤は首を振った。

体の芯まで凍りつくような夜だ。深い林に包まれたレンガの館は、ひっそりと静まりかえっていた。自転車でやって来た美奈子は、門の脇に自転車を寄せて、周囲を見回した。月が明るい夜で、青白い光が、まるで雪景色かと見まがうほどに白々とあたりを染め上げている。

今夜こそ、何とかしてこの館へ入り込まなくては、と美奈子は決心していた。正月の五日に、初めてここへやって来たのだったが、驚いた事に、雑誌のカメラマンや記者などが入れ代り立ち代り現われて、昼の間はとても館へ入り込む事などできなかった。しかも、現場を荒らされては、というのか、それとも峯岸家がこの地の名士のせいか、マスコミ関係者などが立ち入らないよう、ここが無人になってから毎日、巡査が夜六時頃まで門の前ににらみをきかせているのだ。

美奈子はそれでも、そのうち巡査もいなくなるのではないかと、毎日やって来たのだが、一向にその様子はなく、却って、美奈子があまり度々様子を見に来るので、巡査の方が何か怪し気な目で見始めた。

さすがの美奈子も、この館に、夜中に忍び込む決心をするには、かなりの勇気が必要だった。しかし、そうする以外に仕方ないと納得すると、早速、大型の懐中電灯と折りたたみ式の軽金属製のはしごを買い込んだ。一杯に延ばせば九メートル位にはなる。

はしごを荷台にくくりつけて、茅野の旅館を夕方自転車で出発した。途中、ドライブ・インに寄って夕食を摂った。最初、峯岸家の場所を訊ねた所だ。ドライブ・インの主人はていねいに教えてくれたが、内心、物好きな娘だと思った事だろう。おまけに今日はこんな寒い夜に、ジャンパーにジーパンのスタイルでサイクリングだ。きっと頭をひねっているに違いない。

　美奈子は自転車の荷台から、はしごを降ろして、地面に置き、一杯に引き延ばした。金属が擦り合う音が、周囲の静けさのせいで、びっくりするほど大きく聞こえる。美奈子は、はしごをかかえ上げると、門の鉄扉に立てかけようと運んで行った。

　美奈子は一瞬、我が目を疑った。門が開いている！　近寄るまで気付かなかったのだが、鉄の門が、細く開いているのだ。信じられないような気持で、力を込めて押してみると、ほとんどきしむ音も立てずに、門は内側へ大きく開いた。――これはどういう事だろう？

　確実なのは、誰かが、館の中にいるという事だ。峯岸紀子という女だろうか。何かの用事で戻って来たのか。それとも……。迷っている暇はない。ここまで来たんだから、と美奈子は自分を励まし、門の中へ足を踏み入れた。

　噴水がある。これは修一さんから聞いていた。玄関へやって来て、呼鈴を押そうか、どうしようか、と迷ったが、結局、黙って扉のノブを回してみた。静かに扉が開いて、美奈子は、明りのついたホールを目の前にしていた。

誰がいるのか。どこに。美奈子は胸の激しい高鳴りを聞きながら、ホールへ足を踏み入れた。見回してみて、どこがどうなっているのか、さっぱり見当がつかない。左右にドアがある。食堂と居間へのドアだろう。左のドアへ歩いて行くと、美奈子はそっとノブへ手を掛けようとした。その時、何気なく階段の上り口から奥へのびた廊下に目を向けて、一つのドアが開いたままになっているのに気付いた。何だろう。開けっ放しになっているのは妙だ。誰か、あそこにいるのだろうか。美奈子は、足音を殺して、そのドアへ近付いた。テニスシューズをはいているので、ほとんど足音はしないのだが。

開いていたのは〈物置〉と記されたドアだった。中を覗き込んだ美奈子は、奥の壁にぽっかりと開いた穴を見て唖然とした。秘密の通路か何かだろうか。それにしても、余りに現実離れしている。しかし、確かに、地下へ降りる階段が見えていて、明りも灯っているのだ。

しばらく美奈子は階段をこわごわ覗き込んでいたが、やがて思い切って降り始めた。

降り立つと、奥に部屋らしいものがあって、ドアが半ば開いたままになっていた。どう考えても、これは秘密の部屋だったに違いない。膝が震えて、恐怖が急に肌に感じられる。しかし、ここにこそ、修一を探す手掛りがある事も間違いないと思えた。引き返すわけにはいかないのだ。美奈子は、そろそろとドアに近付き、部屋の中を覗いてみた。かなり広い、上品な飾りつけの部屋。明りはついているが、人の気配はなかった。美奈子は中へ入った。きちんと整えられたベッドが目に入った。その傍の小さなテーブルに、何か載っている。腕時計だ！　美奈子は思わず声を上げた。

「修一さんのだわ！」

駆け寄って、手に取ってみる。間違いなく、修一の腕時計だった。彼はここにいたのだ。この地下室に。しかし、一体ここは何なのだろう。どういう部屋だったのだろう。

突然、全身が凍りついた。ドアがきしむ音がしたのだ。人の気配を背後にはっきりと感じた。ドアの陰に、誰か潜んでいたのだ。ああ、なぜ気付かなかったんだろう！　誰だろう。峯岸紀子だろうか。私も、ここで殺されるのだろうか。

喉元までこみ上げて来る恐怖の叫びを抑えながら、そろそろと美奈子は振り向いた……。

4

彼は、すでに死ぬ事になっていた。別にいつ死んでもいいと思っていたし、死そのものは、どうという事もなかった。彼は数え切れないほどの死を、死期の定められた人間を見て来た。彼にとっては、自分自身の死も、その数多い死の一つにすぎないように思えた。冷静な死の観察者として、彼は、死の直前、生命が今一度美しく燃え上がる、などという、文学的修辞を信じなかった。むろん、その一瞬が、今彼自身に起ころうとしている事など、思いもよらなかった。

林隆春は、夜八時過ぎ、郊外の私鉄の駅を降りると、重い皮鞄を手に、暗い道を歩き始めた。一月も末だ。底冷えのする寒さが、コートを無視して体に浸み込んで来る。まだあまり人家のない、新しい住宅地で、街灯もまばらである。家まで二十分も歩かねばならなかった。まだバスも通っていないのだ。

この地に家を買った頃、林は、ある私立の総合病院の脳外科部長だった。三十五歳という若さだったが、誰一人それを不思議に思うものはなかった。それは林がすでに欧米にも名を知られた優秀な脳外科医であり、ヨーロッパなどで開催されるシンポジウムに、旅費、滞在費すべて向こう持ちで招待されるような外科医は、その病院に彼しかいなかったからである。外科の中でも最も繊細な手腕と、強靭な体力と、鋭い勘を要求されるのが脳外科である。そこではメスの先端の一ミリの狂いが、一個の生命を左右するのだ。手術は往々にして五時間、六時間にわたり、最も長いもので、十時間余というものまであった。しかし、そんな長時間の手術でも、十時間めの彼は、取りかかったばかりの時と全く同じ様に冷静に、正確に技術を駆使した。死亡率の高い脳腫瘍でも、彼がいなかったら、死亡率はさらに上がっていただろう、とは誰しもが認めるところだった。

林が、その徴候を認めたのは、三カ月ほど前の事だった。胃に鈍痛を感じ、食欲が減った。癌の事ならば、彼は誰よりもよく、その恐ろしさ、緊急の処置の必要な事を知っている。直ちに彼は検査を受けた。結果は明瞭だった。悪魔は彼の肉体の中で、ひそかにその領分を広げていたのだ。手術不可能。林は自分にそう診断を下した。その瞬間から、彼は自分の命が何カ月の単位で数えられることを知っていた。

林は即座に脳外科部長の地位を退いて、メスから離れた。手術中に万一痛みに襲われたら、患者の命が危険だからである。彼が外科病棟を出て、資料室のある事務棟に移って行く時には、多くの若い医師や、看護婦たちが見送った。泣いている者もいた。すでに林の病気は病院中に知れ渡っていたからだ。資料室で、林は自分の扱った多くの手術例、臨床例を一つでも多く整理し、記録を残そうと働いた。

あれから二カ月が過ぎていた。林は、しだいに自分が無気力の中へ落ちこんでいくのを、ぼんやりと感じていた。死への恐怖からではない。彼は余りに死に親しんでいて、それを恐れるとか憎むとかできなくなっていた。彼を無気力にさせ、日々を空しくさせたのは、メスの感触、手術の緊張が失われた、その欠落感であった。彼は天性の医者であり、生れながらの外科医だった。自分自身、そう信じて疑わなかった。その彼が、外科医である事をやめたのだ。それは死の宣告よりも、さらに苛酷な試練だった……。

道はくねくねと曲って、林は機械的にそれを辿って行った。冷たい風が、両側の木立や草むらを走り抜けて行く。長身で細身な林は、やや背を丸めるようにして歩いていた。家には別に誰が待つでもない。両親は彼が大学の時、やはり癌で続いて死んだし、彼は一人っ子であった。婚約者がいて、本来なら今頃は結婚しているはずだったが、病気が分ると同時に、彼の方から婚約を解消した。恋愛めいた感情があるわけでもなかったので、別に苦しくはなかった。こうして、彼は買ったばかりの新築の家に、一人で寝起きしていたのである。

もうすぐ陸橋だ、と林は思った。道は大きなカーブを描いて、自分の乗って来た私鉄の線路と交叉しているのだ。線路は土手の間に落ち込んでいて、道が陸橋になってその上を渡っている。それを渡ると、もう五分ほどで家だ。林は暖かいセントラルヒーティングの暖房と、熱く香るコーヒーを思い浮かべた。そして、ふと考えた。クーラーを取り付けたものの、使わずじまいになってしまうんだな。

陸橋の手すりに、その娘は両手をのせて、じっと眼下の鉄路を見下ろしていた。このあたりで見た事のない娘だった。かなり遠くから、林は娘を見つけて、観察していた。娘は十八、九に見えた。小柄で、黒のハーフコート、グレーのスカート、踵《かかと》の低い黒靴をはいているのが、若い印象を与えるのかもしれない。さらさらとした感じの髪が長く肩を包んでのびている。陸橋へ近づくにつれ、林は足を緩めた。娘は彼が近づいて来る事など全く気付かない様子で、じっと下の線路に目を落としたままだ。彼は陸橋の数メートル手前で立ち止まった。寒さのせいばかりとも思えない、青白くこわばった娘の横顔が、街灯に照らし出されていた。そこにはただ事ではない何かが漲《みなぎ》って、張りつめており、近寄る事もはばかられた。一体、何を考えているんだろう、この娘。林はいぶかった。

娘が顔を上げた。彼の方へではなく、線路がずっと闇の中へのびている、その奥へと目を向けたのである。つられてその方向へ向けた林の視界の片隅に、ぽつんと小さな赤い点が浮いた。そうか。林は思った。そうなのか……。

赤い点は、次第に大きさを増し、やがて静寂を微かに震わせながら、列車の轟音が近づいて来る。林はその列車を知っていた。彼が乗って来た電車を二駅先で追い越す急行である。

やめておけよ。列車に飛び込むほどひどい死に方はないくらいだ。体がばらばらにちぎれ、細かな肉片となって、車輪やモーターや歯車にからみ着く。片付ける方だっていやなもんだし、遺族にしたって、およそ元の形を止めていない遺体を見るのはやり切れまい。列車はよせよ。何か他の方法にしろ。

列車の輪郭が見えて来た。娘は全く動く気配を見せない。思い違いだろうか。列車がぐんぐん近づいて来て、地響きが足下から伝わって来る。

突然、娘が陸橋の向こう側へ、駆け出した。そして手すりを回ると、枯草のはりついた斜面を、線路へ向けて駆け降りる。列車が陸橋の下へ突っ込んで、娘の姿は列車にかき消され見えなくなった。

列車は足下の大地を揺さぶりながら、重そうに陸橋の下へ吸い込まれ、反対側からまた夜の旅を続けて行った。そして後には、あの娘が残った。娘は土手の下で、線路のわきに、しゃがみ込むように坐っていた。接触でもしたかな。林は陸橋を渡ると、手すりを回って、娘を土手の上から見下ろした。娘は、よろよろと立ち上がった。あれなら大丈夫だ。少しでも接触していたら、立ち上がれるものではない。

見ていると、娘はしばらく、両手に顔を埋めて、泣いているようだったが、やがて、土手の斜面を苦労してよじ登り始めた。林は、手の届く所まで上って来た娘へ、

「つかまれよ」

と手を差し出した。

娘はびっくりして、彼を見上げた。そして黙って彼の手をつかんで、土手の上へ、ひと飛びで上がって来た。

「やりそこなったね」

服についた土やごみを払っている娘に、林は言った。娘は、ちょっと怒ったような目つきで彼を見たが、すぐ目をそらして、

「ええ」

と投げやりに言った。

「またやる気かい?」

「だったら?」

娘は挑みかかるような口調で言った。

「別に。次の急行は一時間しないと通らないと教えてやりたかったのさ」

「ありがとう」

林は、この娘に興味を覚えた。考えてみれば、人間に興味を持つのは、ずいぶん久しぶりのような気がする。特に病気が分ってからは、あらゆるものへの興味が薄れてしま

ったようだった。この死にそこなった娘のどこに、興味をひかれたのか、彼自身、よく分らなかった。しかし、取り合せは面白いじゃないか。死のうとしてしくじった娘と、数カ月後の確実な死を予告されている男……。

「一時間、どうするんだね」

「さあ」

娘は肩をすくめて、「待つわ」

「その間、どうだい、お茶でも」

娘は怪しむように、林を見た。

「大丈夫、偉ぶった説教などしやしないよ」

「本当?」

「本当だとも」

「止めようとしないって約束する?」

「するとも」

「――じゃ、いいわ」

この奇妙なアベックは、少し道を歩いて、何軒かの住宅がかたまって建っているあたりにやって来た。ただ一軒の喫茶店があった。〈北風〉という、今の季節には適切な名だ。もっともこの名は、マスターの好きなウエスタンの曲名だそうだが。

店の中はがらんとして、二、三人の学生風の男たちがしゃべっているだけだ。

「ま、大してコーヒーもうまくないけど、ここしかないんでね」

席に着くと、ウェイトレスが水を持って来る。新しいウェイトレスか。もう三人めだ。もっともっと家がどんどん建つと見込んで店を開いたのだろうが、あて外れで、よく潰れない、と感心するくらいだった。だから、当然ウェイトレスを雇うにも、いい給料の払える訳はない。長く居つかないのも当り前だろう。

コーヒーを二つ頼む。娘が、コップの水をぐいと一口飲んで、コップをちょっと顔の前に上げてみせ、

「乾杯」

と言った。

「何に乾杯だね？」

「死に！」

「死に何かいい所があるのかい」

「ええ、もう年を取らなくてすむわ」

「なるほど。しかし、そのせいで自殺するんじゃないだろう」

「それじゃいけないかしら？」

娘は事もなげに言った。およそ死にたいと思っているほど深刻な様子には見えない。しかし林が悪性脳腫瘍の診断をした患者の中にも、しっかりと死を受け止めているように見えて、実は心底参ってしまっている人間が何人もいた事を、林は憶えていた。およそ

らく、この娘の強がりも、絶望の裏返しなのだろう。

「私が飛び込もうとするのを見てたの？」

「ああ」

「止めなかったのね」

「死ぬのは自由さ」

「本当にそう思ってるの？」

「いや」

「じゃ、本心はどうなの」

「人間はできるだけ生きるべきだと、医学部で教えられたからね、そう思うように習慣になっているんだよ」

娘は半信半疑の様子で林を見た。

「お医者さんなの？」

「そうだ」

「変ってるのね。医者なのに、自殺しようとする人間を止めようともしないの」

「実際の所、他人の命なんか、今はどうでもいいのさ」

「なぜ？」

「僕はあと三カ月以内で死ぬ身だから」

コーヒーが来た。林は自分のカップを取り上げて、ブラックのまま一口飲んだ。やたらに苦い。粉がしけってるんだろう。

「ミルクと砂糖、入れろよ。僕は何も入れないんだ」

「冗談でしょう？」

娘がやっと我に返った様子で言った。

「本当さ。癌なんだ。方々に転移してて、手のつけようがない」

「胃癌？」

「胃もやられてる」

「じゃ、コーヒーなんか……」

林は笑って、

「コーヒーの一杯で寿命は変らないさ。飲んで痛むならともかく、別にその度に痛むわけじゃないんだ」

「痛む事はあるんでしょう？」

「痛み止めを自分で処方して持ってるから」

娘は何か考え込むように、ミルクと砂糖を入れたコーヒーをゆっくりかき回した。砂糖を二杯も入れている。

「待つより、いっそ死にたいと思う事、ない？」

「そうだな」

林は考えて、「そうは考えないな。いつでも死ぬ薬は手に入るがね。まあ、もう一カ月もしたら、分らないが」

「どうして？」

「苦痛が薬で抑えきれないほどひどくなる。そうなれば、死にたいと思うようになるかもしれない。その時になってからでも遅くないさ」

娘はコーヒーをゆっくり飲んで、

「お医者さんって、みんな死ぬ事を、そういう風に考えているのかしら」

ポツリと言った。

「なぜだい？」

「少しも恐くないみたい」

林は微笑んだ。恐怖とは未知のものへの感情だ。彼は死を知り尽くしていた。

「そんな事はいい。君はどうなんだ。死ぬのが怖くないのかい？」

「怖いわ。でも、一人で生きて行く方が、ずっと怖いの」

「比較の問題か」

「そうね。楽な方を選ぶのは、人間の権利だと思うわ」

理屈っぽい事だ。林は思った。死ぬにも理屈が必要なのが、当節の若者なのかもしれない。死が不条理なものと決まっていたのは、もうひと昔前の話だ……。

林は、残りのコーヒーを一気に飲みほした。その時、急に激痛が襲って来て、体を折り曲げた。今までにない、火にあぶられるような痛みであった。

「大丈夫？」

「どうしたの」

娘が腰を浮かした。

「大丈夫だ。……大丈夫」

彼は苦痛をこらえて、傍の鞄を開け、鎮痛剤のカプセルを取り出した。水なしで飲み下す。カプセルだから吸収は早いはずだった。

波のようにくり返し襲ってくる苦痛に身を委ねて、林は、シートの背にもたれて、じっと目を閉じていた。しかし、二、三分たっても、苦痛は、いくらか軽くなっただけだった。いかん。額に汗が浮いているのを感じながら、彼は思った。もうあれでは抑え切れなくなって来たのだ。癌で死ぬ患者でも、ほとんど苦痛を感じないですむ者もあり、のたうち回るほどの苦しみにさいなまれて死んで行く者もある。不公平な世界だ。林は無神論者だったが、もし神がこの世を造ったのなら、その手並は、下手な外科医よりひどいもんだな、と思った。

「おさまった？」

じっと彼を見守っていた娘が、小さな声で訊いた。

「もうだめなようだよ」

娘が恐怖に顔をこわばらせて、

「いやよ！　死なないで！」

と言った。林は苦痛の中で、思わず笑って、

「いや、今死ぬっていうんじゃないよ。あの薬が効く段階ではなくなったという事さ」

娘は息をついた。

「じゃ、どうするの」

「家へ帰る。注射液があるからね。あれなら大丈夫だ」

そして微笑むと、「次の列車まで付合えなくて悪いね」

「いいのよ」

また激しい痛みがぶり返して来るのは時間の問題だった。いくらかでも楽なうちに帰らなくては。林は財布を出して、代金をテーブルに置くと、

「僕は行くよ。まだ時間があるから、ここにいたまえ」

「私、一緒に行ってあげる。近くでしょう？」

「しかし——」

「構わないわよ」

林は、笑って娘の好意を受ける事にした。正直な所、家までの間に、またさっきのような痛みに襲われたら、どうしようもない所だったのだ。

〈北風〉を出ると、娘が林の体に手をかけて、支えるようにして歩き出した。しかし何といってもか弱い娘である。実際はほとんど彼自身の努力で歩いていたのだが、娘の腕の感触で、体が軽くなっているように感じられた。

店から、百メートルばかり、ゆるい坂を上ると、建売の小ぎれいな住宅へ辿り着いた。

彼が鍵を渡すと、娘が玄関のドアを開ける。ちょっとした板の間の奥の居間へ、足を踏み入れて、ソファに体を投げ出した。また少し痛みがひどくなって来ている。急がなくては。

「悪いけど、そのサイドボードの上の鞄から、金属のケースを出してくれないか」

娘が急いで、鞄を開け、注射器とアンプルの入った箱を取り出す。

「これでいいの?」

「そうだ。ありがとう。こっちへ——」

その時、さっきに数倍する苦痛が不意打ちして来た。思わず声を上げる。娘が駆け寄って来るのをぼんやりと感じたが、視界が薄れかけていた。気を失うのか。それなら早く気を失った方がいい。そのまま死んでしまうのなら、そうだ、いっそこのまま死んでしまうのなら……。

床へ崩れるように落ちて、胃壁を突き破るような痛みに身体を震わせながら、彼は次第に意識が薄れて行くのを感じていた。

苦痛が、引き潮のように、ひと波ごとに遠のいて行く。妙だ。こんなに急激に痛みが引くのは、注射で抑えた時だけだ。自分で射っていないのは、はっきり憶えているのに。妙だ。

焦点が合って、見馴れた居間が、目に映った。それから、彼は自分が床のカーペット

し　　　　　　　　　　　　　　　　　　　　

に横になっているのに気づいた。傍に、あの娘が、膝をついて、心配気に彼を見下ろしていた。彼の目は、娘が手にした注射器を見た。下に、鎮痛剤のアンプルが、空になって転がっている。副作用で体がだるく、重い。彼は腕がまくり上げられているのを見て、やっと納得した。

「君が射ってくれたのか」

「効いた？　これでよかったのかしら？」

彼は答えずに、じっと娘を見て、

「君は看護婦の勉強でもしたのかい？」

「いいえ」

林は、起き上がって娘の目をじっと見つめた。医者の目で、娘の瞳孔を観察したのである。そうだったのか。暗くて外では気づかなかったが……。

「腕をまくってごらん」

娘は黙って左の腕を、まくり上げた。静脈の浮くあたりに、注射針の跡が無数にあって、青黒く変色している。

「何をやったんだね？」

「ヘロインよ」

林は、目を閉じ、嘆息しながら、首を振った。

「私の事……軽蔑してる？」

「いや、そんな事はないよ」

林は、大学時代、レポートを書くために麻薬中毒患者について、調べた事があった。

彼は、患者を責める気にはなれなかった。

「金がほしいのなら、持っていっていいよ。死ぬ人間には必要ない」

「私にだって必要ないわ。私の方がずっと先は短いんだから」

林は娘の表情を探るように見た。

「本当に死ぬ気なんだね」

「ええ」

「なぜ死ぬんだ」

「嫌で嫌で仕方ないのよ。自分も、他人も、何もかも……」

娘は何かを振り払おうとする様に、頭を激しく振った。

林は、この娘はまだ救える、と思った。少なくとも嫌悪を覚えながら麻薬を射っているのだ。もっと中毒が進めば、嫌悪を感じるだけの気力も失せる。

「約束を破っていいかね」

娘は彼に顔をそむけたまま、

「ええ」

と言った。

「死ぬのはやめたまえ。君は立ち直れるよ」

「そう思った事も何度かあったわ」

「で、どうした？」

「結局、負けちゃうのよ。一人で闘うのって、苦しいの」

「ご両親は？」

娘は首を振った。

「兄弟は？　友達は？」

「いないわ。ヤクの仲間はいるけど。十六の時にこれに踏み込んでからは、友達なんて、できなかったわ」

「今は一人いるよ」

娘は驚いて彼を見た。

「あなた？　友達だなんて――」

「年を取りすぎてるかな」

「そんな事……。だって、お医者さんじゃないの」

「それも後何カ月かの事だ。どうだい、その間だけ――いや、入院するまでのひと月ばかり、友人になろうじゃないか」

娘はじっとカーペットの上の一点を見つめていた。林は、娘が生か死かへの一歩を踏み出そうとして、迷っているのを感じた。どちらを選ぶだろうか。林は息をつめて待った。ふと思った。この緊張は、手術を始める前の一瞬に似ている。精神の手術か。医学部に、こんな講義はなかった。

娘が急に泣き出した。林は困惑して目をあちこち遊ばせた。女性に泣かれるほど苦手な事はないのである。婚約者と別れた時も、彼女は彼が死の病と知って泣き出し、困ってしまったものだ。しかも、そこは銀座のホテルのロビーだった。

急に、娘が彼の胸に飛び込んで来た。

「麻薬から縁を切るのに、どれ位かかるのかしら」

「人によるさ」

「ひと月?」

「難しいね」

「やってみせるわ。癒《なお》って、あなたに会いに来るわ。それまで……生きていてね」

林は娘の頭にそっと手を置いた。カーテンの細い隙間から、白い朝の光が忍び込んでいた。毛布の下に、二人の裸の体が暖かく触れ合っている。

七時半になって、二人は起き出し、服を着た。娘は全く健康な体のように、若々しく、溌剌としていた。林は自分まで、すっかり健康体に戻ったような気がした。

「朝ご飯は?」

「何もないんだ。あの〈北風〉で八時からモーニングサービスがあるよ」

「じゃ、コーヒーでも淹れるわ」

まるで新婚家庭のようだ。林は苦笑した。

八時になると、二人は〈北風〉へ行って、ハンバーガーを食べた。

「出勤は何時？」

「何時でもいいんだ。重役だからね」

「あら、それにしては、車のお迎えがないのね」

娘は澄ました顔で言った。

「そうだ。君の名前を聞いてなかったね」

「本当だわ。変ね」

娘が笑った。

「変だな」

林も笑った。

「私、池上治子」

「僕は林隆春だ」

「よろしく」

二人は飲みさしのコーヒーカップを持ち上げて乾杯した。

「――私、今日病院へ行くわ」

「それがいい」

林は上衣から手帳を出して、白いページを一枚破ってメモすると、「ここへ行ってごらん。僕の知っている男がいる。これを見せれば、よくしてくれるはずだ」

「ありがとう」

彼女は受け取った紙片をじっと見て、「あなたって名医ね」

これは自分が受ける最後の賞賛になるだろう。葬式の弔辞を別にすれば、の話だが。

金を払って表へ出ると、風は冷たかったが、むしろ熱い頬には快いくらいだった。

「じゃ、気を付けてね」

「ええ」

治子と名乗った娘は、じっと林を見て、「ね、本当に、帰って来るまで、元気でいてね」

「できるだけね」

「私……私、もう一度、あなたと寝たいわ」

彼女が頬をぽっと赤く染めた。それから、笑顔になって、

「さよなら、医師《せんせい》！」

「さよなら」

「またすぐにね！」

彼女は力強い足取りで、駅への道を歩いて行った。昨夜、死を選ぼうとした陸橋を、
彼女はためらわず通りすぎて行くだろう、と林は思った。むろん、二度と会う事はあるまい。麻薬中毒から立ち直るには、半年も一年もかかるのだ。それに、いったん全治し

て退院しても、また使い始めてしまう事も多い。それをくり返し、苦しみながら、やっと抜け出せるのだ。あの娘が、早く立ち直れるようにと、林は祈るような気持だった。

彼女の姿が、木立の陰へ見えなくなると、林は家の方へ戻って行った。少し歩いた所へ、「お客様」と声が追って来た。

振り返ると、〈北風〉のウェイトレスである。

「おつりをお忘れでした」

ウェイトレスが息を弾ませて追いついた。

「やあ、わざわざ悪いね」

何をやっているんだ。林はおかしくなって、一人で笑いたくなった。正確、沈着をもって知られる名外科医が、おつりを忘れるなんて！

「ありがとう」

ポケットへつり銭をしまって、林はまた歩き出した。ウェイトレスは、エプロンにしのばせていた鋭いナイフを取り出すと、ハンカチで柄をくるんで、林の背中へ正確に突き立てた。林は気付かずに、少し歩いて、急に痛みを感じて背中へ手をやった。振り向くと、すでにウェイトレスの姿はなかった。彼はナイフが正確に心臓まで刺し貫いた事を直感的に悟った。急速に意識が薄れ、そのまま路上に転倒する。およそ彼らしくない思いが、最後に脳裏をよぎった。

死んだら、どうなるんだろう。どこへ行くんだろう。眠るだけか。これで眠れる。眠れる……。

5

遠藤は疲れた目を閉じて、瞼の上から指でじっと押えた。まだ朝の十時。出勤して来たばかりだというのに、こんな事でどうする。自分に言い聞かせてみても、空しかった。この疲労をいやす最高の良薬は分り切っている。手掛りである。たとえ小さなものでもいい。たった一つの、行動を起こすきっかけがあれば、まだまだこの老骨は張り切るのだが……。

老弁護士と作曲家。この二人の間に、何かの関連が発見できるだろうという見込みは、全く外れた。二人は互いに知人でもなく、共通の友人もなかった。出身地、学歴、職歴、どれを取っても、二人に共通の因子は発見できなかった。作曲家の酒井が、何かの件で後藤弁護士と関わった事はなかったか、と調査したが、酒井はおよそ訴訟沙汰と縁のない男であった。

年齢も違い、人柄も、生活環境も違った。凶器と手口が同じでなければ、とうてい同一犯人の犯行とは考えられない状況である。

凶器のナイフの線も行き詰まっていた。あの型のナイフは、すでに何年も前から製造を中止していたのである。輸入業者を通して日本で買った物か、観光客が現地で買って来たものなのか。いずれにしろ、現在では、買手を探し出す事は極めて困難だった。

それでも、遠藤はナイフの写真を公表して、見かけた事のある人は届け出てほしいと呼びかけたが、反響は無かった。

犯人は狂人なのだろうか。何の理由もなく、気まぐれに選んだ相手を殺しているのだろうか。しかし犯行の大胆沈着な手口を見ると、とてもそうは思えなかった。

手掛りは皆無だった。――皆無？　いや、皆無に近い、と言うべきだろう。

演奏会の夜、酒井を見かけたという申し出が数人からあった。その一人に、同じ作曲家で、ある音楽大学の講師をしている男がいた。彼は、酒井が、あの夜、休憩時間のロビーで、若い娘と一緒にいるのを見かけていたのである。何やら熱心に話し込んでいたので、声はかけなかったのだが、とその男は言った。一緒にいたのは二十二、三歳の小柄で色白な美人だった。青っぽい服を着て、上品な感じで……。その男からはそれ以上の事は聞き出せなかった。

遠藤は考えた。確かに、二つの事件に共通したただ一つの点は、被害者が、殺される前に、若い女性と話をしていた、という事実である。そしてKホテルのウェイターの証言と、今度の音楽大学講師の証言とは、どちらもその女性が、小柄で、色の白い、美人だった点で共通している。遠藤はこの二人の証言をどの程度信頼してよいか、疑問に思っていた。小柄とか、美人とかいっても、見る人間の主観によって大きく変って来る。色白といっても、濃い化粧をしていただけかもしれない。ほの暗いホテルの喫茶室、コンサートホールのロビーでは、それを見分けるのは難しいだろう。

だが、遠藤は、一つの点で二つの証言を重視してみようかという気になった。それは、どちらもその女性が「上品な」印象を与えたとしている点であった。上品、という印象は、単に服装や化粧で造られるものではない。仕草や態度、坐り方、手の動かし方、その全体から受ける印象である。これは、決してありふれた事ではない。

しかし、二十代もやっと半ばの女性が、ナイフで人を次々に殺すなどという事があるだろうか。およそ信じ難い話だ。しかし、今は全く信じ難いような事件が現実に起こっている。今までになかったからあるはずがないというのは、もう現実的な見方ではないのだ。それに女性の年齢は容易に変えられる。実際にはもっと年齢がいっているのかもしれない。

遠藤がそう思った時、電話が鳴った。

「警部ですか」

巻川刑事の興奮した声が聞こえて来た。「またですよ！」

「何の話だ」

「ナイフです。同じナイフで刺し殺されているんです！」

遠藤は思わず息を呑んだ。

「よし、すぐ行く。どこだ？」

一時間後、遠藤は、路上の林隆春の死体を見下ろしていた。

これで三人か。手をこまねいて三人も死なせたとあっては、マスコミの非難を覚悟しなくてはならない。遠藤は首を振った。一体犯人は何人殺すつもりなのか。

「ナイフは何本あったのかな」

遠藤は呟いた。

「参りましたね」

巻川は真似をするように首を振って、「三人か。ここらで打ち止めにしてほしいですね」

「発見者は？」

「この近所に住んでいる勤め人です。出勤の途中でした。それで、どうしても仕事を放っておけない、という事なので、行かせましたが」

「構わんだろう」

「発見者は被害者の事を知っていましてね、近所ですから。医者だそうです」

「今度は医者か」

「林といって有名な脳外科医だと言ってましたよ」

「ずいぶん若いじゃないか」

「ええ」

巻川は道の先の方を指して、「あの少し上った所が家で、一人暮しだったそうです」

「一人暮し？　何か事情があったのかな」

「さあ、まだ聞いていていませんが……」

「まあいい」

遠藤は周囲を見回した。よく見かける新興住宅地だ。宅地の造成は進んでいるが、家はまだ数えるほどしか建っていない。それ以外の場所は林だ。これではまず目撃者は望めまい。遠藤は少し離れて道に面している〈北風〉という喫茶店に目を止めた。

「あの店は？」

「さあ、この辺ではあれ一軒しかないんですよ、店らしい店がね」

「話を聞いてみよう。何か知っているかも知れない」

と言って、「ついでに熱いもんでも一杯やるとするか」

「アルコールは抜きでしょうね」

「紅茶にウイスキーを落とすぐらいなら構わん」

ことさらに冗談でも言わなければ、やり切れない気分なのである。

店へ入っていくと、皿を拭いていた蝶ネクタイの男が顔を上げた。

「警察の者だがね」

遠藤が言った。「コーヒーをもらおう。それからちょっと話を聞きたい」

「はあ」

「君がマスターか」

「そうです。林さんが殺されたそうですね」

「被害者を知ってるのかい」

「ほとんど毎朝みえてましたからね」

「朝だって？」

「うちは八時から十一時までモーニングサービスなんで」

「すると、今朝も来たのかね？」

「さあ、どうでしょう。たいてい九時すぎなんですが、たまに八時頃来られる事もあって……。私は朝のうちは忙しいんで九時までは店へ出てないんですよ」

「すると店は誰が？」

「ウェイトレスです。今奥でひと休みしていますよ」

「悪いが、呼んでもらえるかね」

「ええ、いいですよ」

マスターは、奥のカウンターを出て、端のドアから裏へ行った。すぐにドアが開いて、柄の大きな派手なエプロンを着けた娘が出て来た。何か食べていたのだろう。口をもぐもぐやっている。

「やあ、すまないね、お休みのところを」

「いいえ……」

パーマをかけたちぢれ髪が肩に一杯に広がり、大きなトンボ眼鏡をかけている。それがなければ、なかなか可愛い顔立ちのようだ、と遠藤は思った。

「林さんという医者がすぐそこで殺された。聞いているだろうね」

「ええ」

娘は熱心に肯いた。「よくおみえになっていました」

「今朝はどうだったね？」

「おいでになりました」

遠藤は思わず身を乗り出した。

「確かだね？」

「ええ」

娘はちょっとむくれて、「たった二、三時間前のことですよ」

「それもそうだ。いや、信用しないわけじゃないよ。何時頃だったね」

「八時ちょうどです、お店を開けるとすぐに」

「何時頃までいた？」

「八時半頃だと思いますけど」

死亡推定時刻は八時半頃と、遠藤は聞いていた。死体発見が八時四十五分である。

「林さんは一人だったかね」

「若い女の方とご一緒でした」

「詳しく話してくれ」

遠藤が内心の興奮を抑えて、言った。

ウェイトレスは、昨夜、林とその女が一緒にやって来た所から、林が気分が悪くなったらしく、彼女に抱きかかえられるようにして出て行った様子を話した。

「その女が今朝も来たというんだね」

「そうです。出る時も一緒でした」

「どんな女だったかね」

「ええ……二十二、三歳くらいで、小柄で、結構美人でしたね。顔が青白くて。黒のハーフコートを着ていました」

同じ女だ、と遠藤は確信した。三度も偶然が続くことはありえない。モンタージュ写真を作らせよう。新聞に流して手配するのだ。

「できればその女性のモンタージュ写真を作りたい。明日でも警視庁まで来てくれないかね」

「ええ、分りました」

「よく想い出しておいてくれよ」

遠藤はこの娘が、他の証人と比べて、一番頼りになりそうだと思った。

「あの……林さんは、自殺ではなかったんですの？」

「背中を刺されているからね。しかし……なぜだい？　心当りでも？」

「いいえ。でも、結局あの方が楽だったのかも……」

「楽、とは？」

「林さんは、癌で、もう二、三カ月の命だったんです」

遠藤は思わず巻川と顔を見合わせた。

「本当かね？」

「はい。よくお話しになってました。万国博のときみたいに『あと何日』っていう文字盤でも作ろうか、なんて冗談めかして。とても立派に堪えておいででした。私お気の毒で……」

犯人はそれを知っていたのだろうか、と遠藤は思った。何もしなくても、もう少し待てば死んで行く相手だった事を。

「ありがとう」

遠藤は言った。「明日もう一度話をしてもらうかもしれないよ」

「はい」

「君の名前と住所を教えておいてくれるかい」

ウェイトレスは、巻川刑事の手帳に書き込んで、遠藤へ渡した。

「森田晴江君か。じゃ明日、待ってるからね。遠藤といって訪ねてくれ。十時頃がいいな」

「分りました」

遠藤と巻川が出て行くのを見送ってからウェイトレスはそっと微笑んだ。それは冷たい勝利の微笑、嘲《あざけ》りの笑みだった。

三日後の夕刊には、モンタージュ写真が大きく掲載された。「美貌の殺人鬼?!」という派手な見出しがついている。だがその写真は治子にも雅子にも余り似ていなかった。Kホテルのウェイターも、文化会館にいた男も、問題の女性を詳しくは憶えてはおらず、もっぱら、〈北風〉のウェイトレス森田晴江がイニシャティブを取って、作業を進めたのだった。彼女は巧みに他の二人の印象を作り替えてしまった。他の二人は、まさか自分たちが見た女性が、彼女自身だなどと、思いもしなかった……。

「じゃ失礼します」

彼女はマスターに声をかけて、〈北風〉を出た。

「お疲れさま」

マスターの声が追いかけて聞こえた。

雅子はいつまでも森田晴江になりすましているつもりはなかった。一週間もしたら、ここを辞めるつもりであった。近くで人殺しがあったなんて怖くて、と言えば誰だって納得しないわけに行くまい。それにこれ以上警察と関わり合うのも得策とはいえなかった。

十時半だった。一段と寒い夜で、風こそないが、郊外のこのあたりでは、都心より三度は気温が低いのだ。零度を切っているのではないかと思えた。

〈北風〉を出て、駅の方へ歩き出した雅子は、陸橋が見える所まで来て、足を止めた。陸橋の手すりに腕をのせて、じっと線路を見下ろしているのは、林と一緒に〈北風〉へ来ていた娘ではないか。

一瞬、様々な計算が雅子の頭に渦巻いて、しかし、それもすぐに終った。彼女はさり気なく、黒のハーフコートを着た娘に近づいて行った。

「あの……」

娘が顔を振り向けた。最初、誰か分らなかったらしいが、やがて思い出して、

「ああ、あなた、あの店の」

「ええ。林さんと一緒だったの、あなたでしょう」

「ええ、そうよ」

「警察で捜してるわ」

「新聞見たわ。あまり似てなかったわ、あの写真」

「そうね」

と雅子は微笑んだ。「人の記憶なんて曖昧よ」

「平気なの、あなた?」

「何が?」

「私、人殺しかもしれないのよ」

「あなたじゃないわ」

黒いハーフコートの娘は驚いて、雅子の顔を見た。

「どうしてそう思うの？」

「林さんを殺したがってるようには見えなかったもの」

黒いハーフコートの娘の目に、急に涙が溢れて来た。

「ええ、そうよ……好きだった……あんないい人を……一体誰が……」

「泣かないで」

と雅子は娘の肩に手をかけた。娘は涙を呑みこんで言った。

「あの晩、私、ここであの人に会ったのよ」

「ここで？」

「見て」

鉄路のかなたに、赤い灯が見えて、次第に大きくなって来た。

「急行列車ね」

「私、あれに飛び込もうとしていたの。そこにあの人が来合せて……」

「そうだったの」

「どうせ死ななくちゃいけない人だったのに、なぜ殺したりしたのかしら……」

「なぜかしらね」

「私、警察へ行った方がいいでしょうね」

「そうよ」

列車が近づいて来た。

「一緒に行ってくれる？」

「ええ、いいわよ、もちろん」

震動が足に伝わって来る。

「涙をふきなさいよ」

と雅子はハンカチを渡した。

「ありがとう」

黒いハーフコートの娘がハンカチを眼に押し当てるのを見て、雅子は素早く身を沈め、娘の両足を抱きかかえて、力を込めて持ち上げた。コートの娘の体は手すりを軸に、一回転して、眼下の鉄路へ墜落して行った。急行列車が轟然と突進して来た。

6

遠藤は苦慮していた。第三の殺人現場付近で急行に飛び込んで自殺した娘、池上治子は、モンタージュ写真と似ていなくもなかった。治子は麻薬中毒で、警察に記録が残っていた。その写真を見せると、あの〈北風〉のウェイトレス森田晴江は、この女性に間違いないと確言した。モンタージュ作成に加わった他の二人の証人も、そうだと思う、と述べた。連続殺人事件は、こうして、犯人の自殺で幕を閉じたかに見えた。

遠藤は、警視庁の自室で、一人考え込みながら、机の上の書類を見ていた。それはあの自殺した池上治子の記録書類である。遠藤にとって、事件は終っていなかった。余りに疑問が多すぎる。治子は麻薬中毒で、すさんだ生活をしていた。孤児で、幼い頃からぐれて、何度も補導されていた。しかし、顔なじみの中年の婦人警官は、治子は決して悪い娘ではなかったと、遠藤に言った。あの娘が人殺しなどするはずは絶対にない、と言い切ったのだ。中毒患者はヤクを買う金を手に入れるために、金を盗んだりはする。しかし人殺しとなると、全く話は別である。具体的な疑問もあった。第三の林医師の殺害はともかく、第一、第二の殺人はどうだろう。治子が上品な服装をして、ドイツ製の高級なナイフで人を刺すなどと考えられるだろうか？　もし彼女がやったとしても、それは誰かに命じられての事ではなかろうか。

捜査は打ち切られてはいなかったが、人員は縮小され、捜査員の士気も衰える一方であった。新しい事実が出る望みは薄くなっていた。

しかし、遠藤はどうしても思い切る事ができなかった。

それに加えて、いまだに遠藤を悩ませているのは、被害者たちの間に何のつながりも見出せなかった事だ。あの麻薬中毒の娘が犯人だとしても、殺す動機が全く見当らないのである。少なくともその点がはっきりするまで、捜査を打ち切るわけには行かない、と遠藤は思った。しかしどこからどう手を付ければいいのか。差し当り被害者たちの周辺を改めて調べ直してみなくてはなるまい。何か共通の因子を引き出すまでは、だ……。

デスクの電話が鳴った。

「何だね？」

「お客様ですが。あ、お待ち下さい、あの……」

女子職員が慌てた声を出した。

ドアが開いた。遠藤はその男が誰なのか、ちょっとの間、分らなかった。それから、受話器へ向かって、

「いいんだ。すまんが、お茶を淹れてくれたまえ」

受話器を置くと、懐しげな笑顔で立ち上がった。

「上西《かみにし》さん！　お久しぶりですなあ」

遠藤は相手の手を固く握った。上西と呼ばれた男は、微笑んで、

「五年ぶりだね」

「もうそんなになりますか。ずいぶんごぶさたでしたね。何をしておられたんです？ま、ともかくお掛け下さい」

上西は古ぼけた椅子に腰を降ろしながら言った。

「まだこの椅子を買い換えないんだね」

「予算をくれませんのでね」

「忙しいかね？」

上西が訊いた。

「相変らずですよ」

遠藤は両手を広げて、「事件は山積み、人手は同じ、というわけで」

「弱音を吐くとは、君らしくもない」

「もう若くはありませんからね」

女の子がお茶を運んで来た。

「まだこれか」

上西は一口すすって、顔をしかめた。「少しはお茶らしいものを出せよ」

上西はひと息つくと、「今は何の事件だね？」

「例のナイフによる連続殺人です」

「そうだと思ったよ」

上西は肯いた。「今日ここへ来たのは、その件にも関係があるんだ」

「何かご存知なんですか？」

遠藤の声が緊張した。

上西は答えずに、ポケットから、パイプを取り出した。優雅な曲線を持った、艶のある、素人目にも見事な品である。

「すばらしいだろう」

上西はほれぼれと、そのパイプを眺めながら、「ジョーン・ミッケの作だ。やっと手に入れたよ」

遠藤は、何か重要な事を言う前に、無関係な話題でワンクッション置く上西のやり方に馴れていた。上西はしばらくパイプを眺めてから、またポケットへしまい込むと、

「その前に、私がここしばらく、何をやっていたか、それを話した方がいいだろう。ところで、どうだい、こんな所じゃなくて、少し人間らしい気持でいられる所に行こうじゃないか」

「結構ですよ」

二人は警視庁を出て、タクシーを拾った。小春日和の午後であった。

上西さんは変らないな、と遠藤は思った。渋い英国製のスーツをさり気なく着こなした大柄な体軀は、一見外国人かと思わせる。

車の中で、上西は黙ってパイプをいじり回しているだけだった。

遠藤が上西を知ったのは、もう十年以上前の事だ。ある外国大使館で起きた殺人事件を扱った遠藤が、外交官特権の壁にぶつかり苦慮している時、警視総監が彼を上西に引き合わせたのである。

遠藤は、自分とはおよそ住む世界の違うこの男に、何か不思議な親近感を感じた。似ていないといえば、これほど似ていない男も珍しいほどなのに。しかし二人はどちらも非凡な人物だった。それぞれの世界で、第一級の人物であった。いわばプロ同士の連帯感のようなものが、上西と遠藤を近付けた。

遠藤は、上西が外務省の高官である、という事だけしか知らされなかった。しかし、

ともかく当面ぶつかっていた外交官との微妙な問題について、率直に上西へ事情を説明したのだった。捜査上、どうしても外交官個人に関する詳細な調査が必要で、できれば直接訊問したいのだ、と説明した。上西は黙って聞いていたが、やがて席を外し、三十分ほどして戻ってくると、何とかなると思う、と言った。

次の日、遠藤は当の外国大使館へ呼ばれ、駐日大使自身から、大使館内で自由に捜査し、訊問してよいという許可を得た。

以来、上西は時折、遠藤に会いに警視庁へ姿を見せるようになった。上西がどういう立場で、どういう仕事をしているのか、遠藤は今でも正確には知らなかった。ただ、噂に聞いた所では、上西は個人的にも大変な金持であり、日本はもちろん、欧米にも政財界の有力者に多くの知人を持っているという事だった。

車はTホテルへ向かっていた。

「あそこの部屋を一つ借りてね、事務所にしているんだ」

上西は事もなげに言った。

日比谷のTホテル、和風庭園に面したガラス張りの広々としたラウンジに、暖かい陽射しがゆるい傾斜で射し込んでいる。二人は陽溜りを避け、奥まったテーブルに席を取った。

「四年前、私はヨーロッパへ行った」

ウインナコーヒーを一口すすって、上西が口を切った。

「存じませんでしたね」

「誰にも言っていないよ」

「何か目的があったわけですか」

「目的？　むろんあったよ。前に回ったロアールの古城を、ゆっくり見て回りたいとか、ハイリゲンシュタットにも行きたかったし、レマン湖でひと夏を過ごそうとも思っていた。しかし、最大の目的はね、私の敵に会う事だった」

「敵ですって？」

「そうだ。その頃私は格別仕事もせずぶらぶら遊んでいたんだが、ある日警察庁の長官が私に会いにやって来た」

「長官がですか？」

「そうだ。当時は山神君だった。彼は私にある事を調査してほしいと依頼して来たのだ。依頼というのは幻覚発現剤の密輸入ルートを調べてほしい、という事だったんだ」

「幻覚発現剤というと、マリファナとか、ＬＳＤの類ですか」

「そう。君は知るまいが、マリファナ、大麻、ＬＳＤ―25の他にも、驚くほどの種類があるんだよ。しかもそれは、『シンデレラの靴』とか『バラの花びら』とか、香水のような名で呼ばれて、様々な幻覚症状をひき起こすのだ」

遠藤は、そんな話がナイフの連続殺人とどう関係があるのだろう、と思ったが、黙って聞き入っていた。

「麻薬の密輸ルートには大きく二つの系統がある事は知っているだろう」

上西が続けた。

「大麻、阿片、ヘロイン、マリファナの類は東南アジア、香港、タイ、インドのルートでやって来るものが多い。一昨年は十八カ国から密輸入されている。もう一つのＬＳＤを中心にした幻覚剤については、韓国ルートや米軍基地のある町がルートの中心になっている。ところが、最近新しいルートが出来ているらしい、という噂が当局の耳に入った」

「ヨーロッパですか？」

「そうだ、幻覚剤といっても、ヒッピーや青少年向けのものだけでなく、大人、それも有閑階級の婦人たちが刺激を求めて手に入れたがっているものが、ヨーロッパから、何らかのルートで日本へ入っていると見られていた。これは一種の大人の遊びのために用いられる薬で、パーティや特別な客の接待に、利用されているのだ。実際にヨーロッパの上流社会にはかなり広まっているという話だった」

「物好きですな」

「長官の話は、何とかそのルートを突き止めて、日本への流入を防いでほしいという事だった」

「なぜ麻薬課が扱わないんです？」

「それは事が極秘を要するからだ」

「すでに日本でもその薬を大金を払って手に入れている連中がおり、その中には少なからず、政府高官の夫人、令嬢が含まれているんだよ」

遠藤は、上西が挙げた二、三の名を聞いて声も出なかった。

「薬を流している連中の目的はそういう金のある使用者をふやす事だ。これは暴力団などを使って町の浮浪者に売りつけるのとは訳が違う。第一に金の払いがいい。第二にいざこざが起きても買手は立場上、訴える事はしないし、むしろ圧力をかけてもみ消そうとするだろう。第三に大量を捌《さば》く必要がなく、秘密結社のような組織にして、金持だけを相手にしていれば、情報の洩れる心配がない。そして最後に、もし買手が手を引こうとすれば、事を暴《あば》いてスキャンダルにすると脅迫して思い止まらせ、また金をゆすり取る事もできる」

「極秘？　なぜです？」

「何てこった。……旨い話ですね」

「だから、自由な立場で、ヨーロッパにも詳しい私に、密かに探りを入れてほしい、と言って来たわけだ」

「しかし、危険じゃありませんか」

「私は危険が好きな男だ」

上西は微笑んだ。

「君も知っての通りね」

　遠藤は笑って肯いた。そうだ、上西なら喜んで引き受けるだろう。長官も、そういう上西の性格を呑み込んで依頼に行ったのに違いない。

「ただ、これは極めて微妙な作業だ。ヨーロッパへ行って、ルートを探るには、向こうの上流階級の人間と近付きにならなくてはいけない。私自身、いくらかの知己はあるわけだが、私がそんな調査のために来ていると知れたら、とたんに追い出されてしまうだろう。それに私は公の権限を持って行くわけではないから、現地の警察に表立って協力を仰ぐこともできない。全くの一匹狼でなくてはいけないんだ」

「難しい仕事ですね」

「まあそうだね。長官も、自分にできるのはその間の費用を負担する事ぐらいだと、正直に言っていたよ。もっとも費用だって馬鹿にできない。ほとんど無期限にヨーロッパに滞在して、上流社会と付き合おうというんだからね。領収書もなしでよくあれだけの金をひねり出したもんだ。新聞にでも嗅ぎつけられたら、大変なスキャンダルになる所だよ」

　上西はひと息ついて、ウインナコーヒーを飲みほすと、ゆっくり話を続けた。

「そういう事情で私が一人でヨーロッパへ渡ったのが四年前の事だ。特に幻覚剤の使用が浸透しているといわれるパリの社交界へ、知人のコネで顔を出し、まあ、ほとんど連夜のようにパーティ、晩餐会、オペラ見物、音楽会のつるべ打ちだ」

　遠藤は首を振った。こうして毎日せかせかと働いていると、そんな世界がこの世にあろうとは、とうてい信じられない。

「そんな日々が半年以上続いて、やっと私は手掛りの一端をつかんだ。新しい薬を味わうパーティなるものに、招待されたのだ。むろん知人の同伴者という資格で、見物に行っただけだが、私はこれが自分の捜していたものだと確信したよ。その晩の薬は、確か『陶酔』とかいう名だったな。いい齢をした婦人がイヴニングドレスを脱ぎ出したりしてね、何とも見るに堪えん代物だったな」

上西は苦笑した。

「まあ、あまり詳しい話はよそう。とにかくそれを手掛りに私は密かに本格的な調査に乗り出した。急ぐ事はできない。失敗すればおそらくは死が待ち構えているし、誰も助けてはくれないのだからね」

「よく生きて帰って来られましたね」

「全くだ。――まあそれから一年ほどかかって、私はヨーロッパから日本へ、多種多様な新しい幻覚剤を流している組織の首領と思われる男を知ったわけだ」

「誰です？」

「本職は美術商だ。古美術の売買を手広くやっている男で、その道ではかなり知られた男だった。――峯岸良三というのだ」

遠藤には初めての名だった。しかし、――峯岸？　最近どこかで耳にしたような気がする。どこだったろうか……。

「幸い私は美術品にもいくらか目が利く」

　上西が続けて、「私は中世の剣がほしいといって、峯岸に近付いた。しかし、初めて会った時から、お互い相手がただ者でないと分っていたな。大物だったよ、奴は。本物の紳士だ。一分の隙もない紳士で、マナーも仕草も英国貴族といっても立派に通用するものだった。私たちは何度か夕食を共にしたり、彼の館へ招かれたりして、会った。彼は私が何者であるかをすぐに探り出していたらしい。むろんそれは難しい事ではないからね。しかし彼は部下を使って私を消そうとはしなかった。なぜか？

　――私には分るような気がする。峯岸は私を自分と同格の敵だと考えていた。それに彼と私の間には多分に共通点があった。正反対の立場に立ちながら、同類の人間である事を知っていた……」

　上西はまるでその思い出を懐しむように、語っていた。

「ある晩、彼の持っている小さな城――本物の古城だよ――そのバルコニーでワインを飲みながら、私たちは話をしていた。前の晩、一緒に見たリヒァルト・シュトラウスの『ばらの騎士』の事だった。突然、彼が話を変えたんだ。『あなたが何者か知っていますよ』。で、私も言った。『私も君が何者だか知っている』とね。『自殺行為だと思われないのですか？　ここは私の城ですよ』と言うから、『自殺するのは君の方だ』と言ってやった。しばらく黙ってから、彼は大声で心底愉快そうに笑った。私も笑った。――その後は『ばらの騎士』で元帥夫人を歌ったルートヴィヒの話だけしかしなかった」

上西はひと息いれて、

「峯岸が飛行機事故で死んだのは、そのひと月後だった」

遠藤はじっと上西の話を聞き入っていた。峯岸という名を思い出していた。長野で、トラックの運転手殺害事件があり、その後、近くの洋館で三人の人間が殺された事件があった。容疑者として行方をくらました家庭教師の青年が指名手配されていたはずだ。あの家が峯岸といった。

「スペインのマドリッドへ行く旅客機が墜落し、峯岸の名が旅客名簿にあったのだ」

上西は言った。「しかし機は地中海へ落ち、遺体も全部は収容できなかった」

「死んでいない、とお考えなんですね？」

「そういうわけじゃない。偶然としては少しうますぎたが、姿を消すために旅客を大勢殺すような男とは思えない。その辺は分らないよ。大事なのは、彼の死後も、組織自体が崩壊しなかった事だ。帰国して知ったのだが、その種の薬の流入は絶える事なく続いていた。峯岸が生きていて、どこかで采配を振っているのか、それとも誰かが彼の後を継いで運営しているのか。いずれにしても、ヨーロッパではもう調査はできなかった。すでに私の顔は知られていたのだからね。今度は日本へ戻って来て捜査を始めなくてはならなかった」

「峯岸という名前を思い出しましたよ。長野のあの殺人事件……」

「ああ、思い当ったらしいね。その通りだ。たまたま近くでトラックの運転手が殺されて、その捜査にかこつけ、警視庁の刑事と偽ってあの家を訪れた。私は彼が密かに帰国しているのではないかと思っていたんだ。二人の姉妹の他に、もう一人誰かが住んでいるのが分ったからね」

上西は、小林と名のって峯岸家を何度か訪れ、上田青年に会った事を話した。

「もう一人住んでいたというのは誰なんです？」

と遠藤は訊いた。

「雅子という末の妹だ。姉の紀子は雅子を他所《よそ》へ療養にやっていると言っているが、それは嘘だ。雅子はあの館の地下室に閉じ込められていたのだ」

「地下室ですって？」

「私は先日、空家になったあの館へ忍び込んで、地下室を発見したよ。明らかに女性が長い間、住んでいた形跡がある」

「一体なぜそんな所に？」

「断言はできないが、おそらく――」

上西はちょっと言葉を切ってから、「彼女は危険な殺人狂なのだろう」

遠藤はまじまじと上西を見つめた。

「私はあの峯岸家について調べてみて、もう何年も前だが、下男が殺されるという事件があったのを知った。強盗に殺されたという話だったが、犯人はつかまらず、迷宮入りになった。私は当時その件を担当した刑事に会って話を聞いたのだが、どうも疑問の点が色々あったらしいのだ。一つは一番末の妹に刑事を絶対会わせなかった事だ。神経の過敏な娘で、とても訊問などに堪えられないという、なじみの医師の言葉を盾に頑強に拒《こば》んだというんだ。そしてもう一つ、刑事が、内部の犯行ではないかとにらんで捜査を進めようとした時、突然上層部から捜査の打ち切りを命じられたのだ」

「圧力ですね」

「当時、ちょうど父親の峯岸良三が日本へ帰っていた。彼は方々へ大きな影響力を持っていたに違いない。ともかく、雅子という娘は、その頃から、あの地下室へ入れられたのではないかと思う。私も色々調べて見たが、雅子がそれから現在まで、学校とか病院へ通ったりしていたという記録が全く見当らないんだ。これは妙な話だよ」

上西は一旦言葉を切って一息ついてから、ゆっくりと、言葉を選びながら続けた。

「あの館での殺人は、雅子という娘の犯行だと思う。地下室から脱け出して、三人を殺し、行方をくらましたのだ。あの上田という青年は紀子がどこかへ連れ去り、彼の犯行と見せかけようとしたのだろう」

「紀子という女は何者なんです？」

「密輸ルートの日本での首領格なのだよ」

「女が、ですか！」

上西は皮肉っぽく微笑んで、

「紀子という女は並の女ではない。会えばすぐに分る事だが、父親譲りの指導者としての素質のある女だよ。——さて、それでは君の興味のある問題に話を移そう」

「連続殺人ですか？——なるほど」

遠藤ははっとして、「その逃げ出した雅子という女が犯人だとおっしゃるんですね」

「間違いないと思っている。あの連続殺人の動機はまだ私にも分らない。しかし、凶器のナイフ、あれには見憶えがあるんだ」

「というと？」

「峯岸と会っていた時、彼が私に見せてくれた事があるのだ。優れた品で、六本一組になっており、これは日本へ送るのだ、と言っていたよ」

「それをその女が持ち出して……」

「すでに三本は見つかっているわけだな。しかしまだ三本残っている」

「ごめんですよ」

遠藤は大げさにため息をついた。「まだ三人も殺されるなんて」

「その前に何とかできるかもしれないさ」

「手掛りをお持ちなんですか？」

「峯岸紀子だ。彼女は今、自分が出資し、運営している療養所にいる。私はそこが幻覚剤ルートの日本での本部だとにらんでいるんだ。むろん具体的な証拠はないから、すぐには手は出せないが」

「姉の方から、その殺人狂の妹の行方も？」

「分るかもしれない」

「その療養所の場所をご存知なんですか」

「知っている」

上西は肯いた。「そこで、君の力を借りたいんだ。断わっておくが、私は君の捜査を手伝いたいんじゃない。君は誰の援助も必要としない。私は峯岸が残した密輸ルートを探りたいだけだ。この二つの件の重要な鍵が、実は一つだと信ずべき事情があるのだ」

遠藤は上西をじっと見つめた。何もためらう必要はなかった。

「いいですとも、喜んでお手伝いさせていただきますよ」

「もう一人貴重な協力者を見つけてね」

「ほう」

「あの館でひょっこり出会ったんだが……」

上西は席から立ち上がった。遠藤が振り向くと、若い娘が二人のテーブルへ歩いて来る。

「紹介しよう」

上西が言った。「警視庁の遠藤警部だ。こちらは上田青年の婚約者の牧美奈子さん」

美奈子は微笑んで軽く会釈をした。

「さあ、坐って」

上西が言った。「これから三人で計画を練ろうじゃないか」

7

教師っていうのは因果な商売だ。教職について四年になる畑中一郎は、国電の窓から、夜景を眺めながら思った。いつの間にか、暗い窓に映った乗客の顔を一つ一つ見ている自分に気付いたからだ。自分の生徒が乗り合せていないか。見知った父兄がいるのではないか。ついそういう目で周囲の顔を見回してしまうのである。全く、教職についているというだけで、なぜただの三十歳の男として振舞ってはいけないのだろう。いささか腹立たしく考えたのは、畑中が内心感じている後めたさの裏返しに他ならなかった。

中央線を新宿で降りて、地下の西口広場から階段を上る。表へ出ると、寒風が頰を凍りつかせんばかりに吹きつけて来て、畑中はオーバーの襟を立てた。二月も終りに近い。最も底冷えのする時期である。西口前のビル群は、もう暗く、東口の賑わいと違って、人通りも余りない。だからこそこちら側を待ち合せに選んだのだが……。

人目を忍ぶ恋、などとしゃれたものではなかったが、三十歳の中学校の教師が、妻子のある身で、二十歳そこそこの娘と会っているというのは、やはり公開して然るべき性質のものではない。

彼女は、ビルの一階にある、小さな喫茶店で待っていた。畑中は約束の時間に一時間近くも遅れていた。職員会議が思いがけず長引いてしまったのだ。しかし彼女は少しも不機嫌そうではなく、彼が入って来るのを見て、微笑んで手を振った。

「ごめんよ、遅くなって。会議がね……」

「いいのよ、本読んでたから」

「何を読んでるんだい？」

彼女は文庫本を閉じて見せた。「赤と黒」だった。国語教師としては、漱石でも勧めてやらなければいけないか、と思った。

「面白い？」

「ええ。ソレルって好きだわ」

どこかの大学で、ある教授がゲーテの〝ウェルテル〟の話をしていて、この本を読んだ人は手を上げて、と言ったら、クラスでわずか二、三人しか読んでいなかったという話がある。文学というものが、何と無力な時代なのか。国語教師の悩みは深し、といった所だ。しかし、そんな事はどうでもいい。今は教師でも何でもない。ただ恋する一人の男でしかないのだ。

彼女は田中礼子といった。二十歳。神田で畑中が古本を漁《あさ》っている時、たまたま同じ本を買いかけたのがきっかけだった。といっても、それはつい一カ月ほど前の事だ。畑中は、白いセーターに、短くまとめた髪、ぶかぶかのベレー帽をかぶった、この明るく、屈託のない少女の魅力に一瞬で捉えられてしまった。彼女は目当ての本、近松門左衛門についての研究書を畑中へ譲って、代りに話を聞かせてほしいと言った。畑中は喜んで承知した。

「お宅には何て言ってあるの？」

礼子は訊いた。

「会議の後、同僚と飲みに行くと電話しておいたよ」

「アルコール抜きで帰ったら、変よ」

「いいさ。この寒さじゃ、酔いだってすぐさめる」

「ね、本当に、奥さんが怪しんでると思ったら、そう言ってね」

「分ってる」

「すぐ私、いなくなるから。奥さんを悲しませるような事はしたくないの」

畑中は、礼子の心根の優しさにうたれつつ、心中、不安であった。すでに妻は何かを感じているようだった。日々、共に暮らしている人間を欺くのは容易ではない。畑中は特に、根が正直で、嘘のつけない男だった。しかしそうは礼子に言いたくなかった。言えばそれで終りである。礼子は言った通りにするだろう。即座に彼の前から姿を消し、二度と現われないであろう。そして畑中には彼女を捜すすべはない。彼女の家も、電話も、何一つ知らないのだった。いつも別れる時に、次に会う日と場所を決めていたのである。

「それでいいのよ」

彼女は言ったものだ。「ほんのちょっとの間ですもの」

畑中自身、自分が今の生活や地位を捨ててまで、礼子と一緒に暮らそうという意志のない事を、充分承知していた。これは白昼夢のようなもので、束の間の触れ合いにすぎないのだ。それでいいのだ。

二人の間には、別に何もなかった。文字通り、「何も」なかったのである。浮気といっても、それはただ一緒に時を過ごし、話をし、手を取り合って歩く。それだけの事だった。もっとも畑中も男である。この少女を抱き、自分のものにしたいという欲望は、むろん心の内にたぎっていた。しかし、それがたとえ力ずくで実現したとしても、それは二人の間の終りを意味しただろうし、そのために二人にまだ残されている何時間かを犠牲にする気はなかった。

今夜の彼女は少し変だ、と畑中は思った。いつものように明るく振舞ってはいるが、何か他の事に気を取られているように見えた。

「――ね、どこか行く所あるの？」

スタンダールについての話を遮って、突然彼女が言った。

「いいや……別に」

「近くのホールでピアノのリサイタルがあるの。行かない？」

「いいけど、もう八時だよ」

「途中の休憩から入れると思うわ」

「じゃ行こう」

地下道を歩いて五分足らずの、Y生命ホールだった。ちょうど休憩時間が終る所へ二人は滑り込んだ。どこか東ヨーロッパの若いピアニストで、客席にも所々、空席が見えた。曲目は全部ショパンで、とんとクラシックにうとい畑中にも時々聞き覚えのある旋律が聞こえて来た。ポロネーズを何曲か弾いていったん袖へピアニストが姿を消した。

「君がクラシックファンとは知らなかったね」

「あら、そう？　少しは弾くのよ」

「素敵だろうね。これはどこのピアニスト？」

「ハンガリーじゃなかったかしら」

「ハンガリーね。あそこは行かなかったな」

礼子が驚いて畑中を見た。

「あなた、ヨーロッパへ行った事あるの？」

「そうびっくりしなくたっていいだろう」

彼は笑って、「教師になって二年目の夏休みにパック旅行で行ったんだ。向こうじゃほとんど自由時間なんで、ずいぶん気ままに歩き回ったよ」

彼女が曖昧に笑って、ステージに再び現われたピアニストへ拍手を送った。畑中は気がかりだった。どうもいつもと様子が違う。どうしたというのだろう？　演奏の間も、彼女が何か考え事をしていて、少しも聴いていないのがよく分った。

「どうかしてるよ」

畑中は言った。

「そう？」

「そうさ。何があったんだい？」

二人はホールを出ると、地下広場をゆっくり歩いていた。礼子は眉を寄せて、考え込んでしまい、ますます口数が少なくなっていた。畑中はやり切れない気持で、そんな彼女を見ていた。何とか心を引き立たせようと、冗談を言おうとしても、何一つ浮かんで来ないのだ。まるで十代の少年だった。

不意に足を止めると、彼女が畑中を見て言った。

「ね、これで別れましょう」

「これで？」

「そう。ここで」

「君がそう言うなら」

彼はため息をついた。

「じゃ、次はいつだい？」

礼子は静かに首を振って、

「そうじゃないの。これっきりで、もう会わないっていう事なのよ」

畑中は呆然とした。

「……しかし……なぜだい？　……僕が何をしたんだ。何が気に入らないんだ」

「違うのよ、違うの」

礼子が急に顔を伏せ、涙声になった。畑中は驚いて口をつぐんだ。

「歩こう」

地下広場の人通りの中で、突っ立っているわけにもいかない。彼は礼子の肩を抱いて中央公園の方へ向かって地下道を歩き出した。

「分って……」

彼女が低い声で言った。「自分がこわいのよ。どうしようもない所まで行ってしまいそうで」

「どういう意味だい？」

「私、いつでもあなたと別れられると思ってたの。ただの友達なんだから、と。でも、今はもう違うの。あなたを失いたくないのよ。でもあなたには奥さんもお子さんもいるし、私が身を退かなきゃいけないんだわ。今ならまだそれができるけど、これ以上はもう分らないのよ。だから、今、別れなきゃ……」

すすり泣くような彼女の声に、畑中は強く心を打たれた。肩を抱く手に力を入れた。

「ねえ、君がどうしてもというのなら」

「やめて！」

彼女は激しく首を振った。「もうだめよ。これっきりでなきゃ……」

畑中は何も言えなかった。彼女の言う通りであった。今の妻子と別れて、彼女と結婚するなどという事は、とても考えられなかった。二重の生活を続ける事も、正直な彼には長く続くはずもない。別れるしかない。分ってはいても、彼は肩を抱く手を離したくなかった。

寒風の中、二人は中央公園を歩き回った。ひと言も話さず、互いに視線も合わさなかった。ただ無限に続く迷路をさまよっているようだった。

どれくらいの間、歩いただろうか。彼女が立ち止まって、彼を見上げた。頰に涙の跡があったが、何か、ふっ切れたような表情で微笑んでいる。

「ねえ、どこかで二人きりになりましょうよ。どこかに泊るの」

「何だって。君は分っているのかい」

「子供じゃないわ、私。経験もないけど」

「しかし……それはだめだよ。結婚できないと分ってるのに……」

「正直なのね、あなたって。女の方から言ったら、男は拒まないものだって聞いたけど」

「本気なのかい？」

「本気よ」

彼女は真顔で言った。

彼は大きく息を吸い込んだ。

「分った。でも、どこで？」

「この近くに、そういう旅館があるんでしょ」

「そんな所に君を連れて行けないよ」

「いいわよ。愛し合っていれば、どんな風に思われたって構わないわ」

彼女の言葉には抑えた激しいものが感じられた。

「分ったよ」

彼は言った。「行こう」

普通の家に、ただ旅館という看板をかけただけのような所だった。玄関を開けると、無表情な中年の太った女主人がのっそりと出て来た。

「いらっしゃいませ、お泊りですか？」

「うん、二人だ」

声が少し上ずっているようだった。

「どうぞ」

何もかも心得ているといった様子で、女主人がスリッパを揃えて並べた。礼子は畑中の背に隠れるようにして入って来ると、何か洞窟にでも迷い込んだ様に、あちこちを見回していた。二人は狭い階段を上って二階へ案内された。一番奥の襖を開けて、女主人は肯いて見せた。六畳ばかりの日本間で、一応、旅館の部屋らしい造りになっている。

「何かお持ちしますか？」

畑中は礼子を見た。ぎごちなく座布団に坐っていた礼子は黙って首を振った。

「結構だよ」

「すぐおやすみですね」

女主人は押入れを開けて布団を敷き始めた。畑中は、じっとうつむいたままの礼子を心配気に眺めた。いざとなれば、いやがって泣き出してしまうのではなかろうか。その時はどうしたらいいのだろう。

女主人が二つの布団を並べて敷くと、

「あちらがお風呂です。お湯が出ますから」

「ありがとう」

畑中は千円札を一枚女主人の手につかませた。女主人が出て行こうとすると、急に礼子が顔を上げた。

「あの、すみません」

「は?」

「ビールを下さい」

「はい、ただいま」

びっくりしている畑中へ、礼子はぎごちなく笑いかけて、

「くよくよしたって仕方ないでしょ。気を楽にしなきゃ。最初で最後なんですもの」

畑中も思わず笑った。何て可愛いんだろう……。

湯舟に湯を入れる間、二人はビールを飲んで、語り合った。それは出会ったばかりの

頃の、何の不安も影もなかった日々の再来のように、畑中には思えた。彼女もコップで少しビールを飲んでみせたりして、二人は珍しく声を上げて笑った。

礼子は頃合を見て浴室へ立って行くと、お湯を止めて出て来た。

「お湯、入ったわ」

「そうか。先に入ったら？」

「ええ。入った方がいいんでしょうね、こういう時は」

と頬を染めて、「でも――いいんでしょ、一緒でなくても？」

畑中は笑って、

「どっちでもいいさ」

礼子はちょっと迷っている風だったが、

「じゃ、あなた先に入ってよ。私、よく考えるわ」

「いいよ」

「決心がついたら、後から入ってくわ」

「待ってるよ」

畑中は狭い浴室へ入り、服を脱いでかごへ入れると、熱い湯を浴びて、湯舟へ身を沈めた。湯気がたちまち浴室中を濃霧のように満たしてしまう。すばらしい一夜になりそうだ、と思った。妻は少々かんぐるかもしれないが、何とか言い逃れできるだろう。結局の所、若い娘を自分のものにして、別れられるのだから、うまい役回りだ。少し酔ったせいか、畑中は、そんな不謹慎な事を考えたりした。

浴室の戸が開いた。濃い湯気を通して、ぼんやりと、裸形が見える。

「入っておいでよ」

礼子が近づいて来た。畑中は思わず息を呑んで、若々しい体を見つめた。

「素敵だよ君は……」

「あんまり見ないで」

「悪かった」

畑中は目をそらした。

彼女はタオルを持って手を湯舟のへりにのせて、

「中へ入っていい？」

と訊いた。

——彼女は蛇口から上り湯を出しっ放しにして、桶で何杯もかぶった。いささか、のぼせそうになって、浴室の戸を開けておいた。

もう大丈夫かな。最後にもう一度手を洗って、浴室の中をていねいに見回していた。

「下げさせてもらいますよ」

突然背後で声がした。

女主人がビールやコップを下げに来ていたのに気付かなかったのだ。彼女は一瞬、立ちすくんだ。

女主人がちらっと顔をのぞかせて、凍りついた様に動かなくなった。女主人が見たのは、血に染った湯舟から、白目をむいた顔を半分だけのぞかせている男と、その前に、ナイフを手に立っている全裸の娘だった。

女主人は手から盆を落として、へなへなと坐り込んでしまった。娘は裸のまま、浴室から出て来て、女主人へと近づいて行った。手にしたナイフをしっかりと握り直して。

――血を拭い、体を洗って、あちこちの指紋を拭き取るのにさらに一時間近くもかかってしまった。思いもかけぬできごとに、彼女はいつになく混乱している自分を感じていた。落ち着かなければ。落ち着いて！　何も心配する事はない……。

服を着ると、部屋に飛び散った血に触れないよう、用心して部屋を出る。線路へ突き落として自殺に見せかけたあの麻薬中毒の娘に今までの殺人の嫌疑がかかっているので、今度はナイフを残しておくわけには行かない。そのせいで、かなりの血が流れた。旅館を出て、歩き出す。ほっとすると同時に急に疲労が襲って来た。

終った。これでやっと終ったのだ。喜んでいいはずなのに、虚しさと、疲労だけが、鉛のように心を沈めて行く。眠りたい、と思った。ただ、ただ、眠りたかった。

雅子は寒風の中を、よろめくような足取りで歩いて行った。

第三章　園《その》

I

平和園療養所の門の傍には、「この門は平和へのみ通ずる」と書いた看板が立てられていた。何かからの引用句というわけでもなく、格別の意味があるわけでもなかった。平和園という名前自体、余り気の利いたものとは思えない。しかし三十年前ここを設立した、ある精神科医が、この名を大いに気に入っていたので、彼の死後も誰もここを改名しようとは思わなかったのである。

箱根湯本から登山鉄道で強羅へ上り、そこから、さらにケーブルカーで登った中ほどに、この平和園はあった。この近辺には、色々な会社の保養所が集まっていて、ちょっと見には高級別荘地といった雰囲気さえ漂っている。平和園の敷地は中でもずば抜けて広かった。ここへ建った当時は、まだ地価もお話にならないほど安く、広々とした土地を専有する事ができたのである。

　しかしこの療養所が近くの保養所へ来た客などの目に触れる事はほとんどなかった。療養所の門は、道路から奥へかなり入った所にあり、道には小さな矢印の標識が一つあるきりだったからである。そして療養所の敷地全体は、決して陰気ではないが、断固として立ちはだかるレンガの高い塀に囲まれていた。

　二月に入って間もないこの日、前の日の雪から一転して晴れ上がり、冴え渡った青空が目にしみるようであった。一台の外車――黒塗りのリンカーンが、チェーンの音をたてながら、ここまで登って来た。両側に掃き寄せてある雪が、一メートル以上の高さになって平和園への矢印を隠してしまったので、運転手は一度車を停めて、手近な保養所へ行って訊いて来なければならなかった。

　低い灌木の垣で囲まれた道を入って、ゆるくカーブを切ると、思いがけず、厳重な鉄の門が目の前にあった。傍の、例の看板がなければ、軍事基地の入口かとでも思えるようなものものしさである。運転手が車を降りて、門柱のインタホンのボタンを押した。

「どなた様でしょう」

　デパートの案内嬢のような柔らかい声が聞こえて来た。

「奥村といいます。院長先生と約束があるはずですが」

　運転手が答えた。

「お待ち下さい」

声が跡切れた。――静かだった。まるで無人の山中に踏み入って来たようだ。深い木立が周囲を取り巻いていて、門の内側も、木立の他は何も見えない。木立も今は裸で、無数の細かい枝が、けば立った髪のようにからまり合ってみえる。運転手は、門柱の上に、テレビカメラがあり、それが今、ゆっくりなめるように首を振っているのに気付いた。


「失礼いたしました」

インタホンが答えた。

「お入り下さい」

鉄の門がぶうんという微かなモーターの音をたててゆっくりと内側へ開いた。

運転手が車へ戻り、門の中へ大きな車体を滑り込ませると、驚くほどの早さで門が閉じた。裸の木立を通して、近代的な建物が垣間《かいま》見えたが、道は大きく弧を描いて、林の中を回って行かねばならなかった。

車には初老の紳士と、二十二、三歳の若い娘が乗っていた。グレーの背広を着た紳士は、いささか落ち着かない様子で、窓の外へ目を走らせていたが、娘の方は、何も目に入らないように、座席にもたれたまま、氷の様に無表情な顔をじっと前方へ向けたままだった。娘はクリーム色のブレザーコートを着て、ハイネックの白いセーターが襟から覗いている。

車がようやく、二階建の棟の玄関へ横づけになった。広々としたガラス張りの玄関から、警備員の制服を着た男が車を見ていた。運転手がドアを開けると、初めて娘は顔を外へ向けた。

「着きましたよ、お嬢様」

娘は坐ったまま動かなかった。

「さ、降りなさい」

老紳士が娘の肩を叩いた。

娘がやっと体を動かし、のろのろと表へ降り立った。続いて老紳士が降りて、あたりを見回す。玄関から一人の女が出て来た。紺のスーツを着た、背の高い女で、年は三十代半ば、と見えた。美人だが、いわゆる秘書タイプで、その笑顔はいかにも事務用という感じであった。彼女はきびきびした足取りで近づいて来ると、

「奥村さんでいらっしゃいますね。院長がお待ちかねです」

「遅くなってどうも」

奥村と呼ばれた紳士は弁解がましく言った。「雪で標識が隠れてしまっていたもので、見つけるのに手間取りまして……」

「まあ、それは失礼いたしました」

彼女は、ちょっと厳しい表情になって「よく係の者に言っておきますわ」

それから彼女は元通りの笑顔に戻った。

「私はここの事務を担当している中田晶子と申します」

「これはどうも、よろしく」

「こちらがお嬢さんですね」

「はあ、娘の兼子《かねこ》です。……兼子」

父親の呼びかけにも、娘は全く応じなかった。ただ、立って、ぼんやりと足下の小石を見つめているだけだった。

「兼子、ご挨拶しなさい」

「いいえ、結構ですわ」

中田晶子は笑顔のまま、「お寒いでしょう。どうぞ、中へお入り下さい」

奥村は兼子の肩を抱いて、促した。二人は中田晶子の後について、ガラスの扉を抜けて建物の中へ入って行った。

広々とした清潔な廊下、簡素な装飾、所々に掛けてある何枚かの落ち着いた風景画、柔らかい照明、暖房も適度に調整されていて、極めて快適であった。

中田晶子は二人を廊下を折れた奥まったドアへ案内した。そこは〈応接室〉とあって、中は淡いグリーンの壁、深い紅色の絨毯が敷きつめてあった。

「こちらでお待ち下さい」

中田晶子はそう言って姿を消した。奥村はオーバーを脱いでソファへ腰を降ろしたが、娘の兼子の方は広い窓からじっと外を見ていた。外は、光を浴びた広い芝生で、全部で十人ばかりの女性がオーバーに身を包んで、思い思いに散歩したり、ベンチに腰を降ろしたりしていた。平和な光景だったが、ガラス一枚隔てて見ていると、全く別の世界の幻影のようにも思えた。

応接室の奥の方のドアが開いて、大柄で見るからに健康そうな男が入って来た。五十歳前後だろうか、頭は禿げ上がって、少し残った髪も白くなりかけていたが、日焼けした顔の艶は、まるで青年のようであった。

「奥村さんですね」

思いがけず優しい声であった。

「はあ」

奥村は急いでソファから立ち上がった。

「いやいやどうぞ、そのまま。……私が院長の青木です」

「初めてお目にかかります」

「先日、お電話をいただいた時、大体必要な事は伺いましたから、そうお時間は取らせません」

青木は兼子の方を見て、「兼子さんですね」

兼子はまだ窓から外を見ていた。父親が腕に手を触れると、ゆっくりと向き直って青木を見た。

「今日は」

青木が微笑みかけた。

兼子は無言で、目を伏せてしまった。

「いつもこんな風で……」

奥村が言いかけた。

「いや、ご心配なく。ねえ、兼子さん、外を見ていたね」

兼子は上目遣いに青木を見ると、「ええ」と囁くような声で言った。

「表へ出てみないかな？　少し歩いてもいいんじゃないかね」

兼子はしばらくためらってから肯いた。青木はドアを開けて、中田晶子を呼ぶと、兼子を表へ案内するように言った。

兼子が中田晶子に連れられて出て行くと、青木はソファに腰を降ろした。

「この間もお話しましたように」

青木は、やや事務的な口調になって、

「ここの治療は、他の精神病院の治療とは違います。薬を用いる事は、ほとんどありません。患者が過度の不眠で体力を消耗している時に、睡眠薬を与える程度です。ここの薬はきれいな空気であり、ここの治療は、この恵まれた環境です。神経や精神の病いは個人的なものなのです。ですから、治癒するのも自分自身によらなければ意味がありません。私たちは、それを助けるだけです」

「伺っております」

「そのために、私たちは最大限、患者たちに自由を許しています。患者はこの敷地内ならどこでも行けるし、何をしていようと自由です。食堂は二十四時間開いていて、夜中に起きて昼間眠る事だってできます。そういう患者を無理に決まった時間に寝かしたり、起こしたりする事は無意味であるばかりでなく危険なのです。睡眠不足が昂じて、ヒステリー症状を起こし、他の患者に乱暴を働く事もあるでしょう」

ここで青木院長はやや声を低めて、

「こういう我々の方針を批判する人も少なくありません。その根拠もない訳ではないのです。患者を自由にしておく事によって、監視の目が行き届かず、事故を起こすという可能性があります。事実、この病院の歴史の中でも、三十年間に、五人の自殺者がありました。我々が普通の精神病院のような、厳格な生活管理をしていれば、あるいは救えたかもしれません。その度に、療養所内では、激しい議論が闘わされました。しかし、我々はいつも、従来の方針を守ろうと決めたのです。その事件のために、大多数の患者の回復の機会を奪ってはならない、と判断したのです。――この点について、あなたが不安をお感じになるのであれば、お嬢さんを連れてお帰りになって結構です」

「ああ――いや、ご方針は充分承知しておりますから……。大変結構だと思いますが」

「ご賛成いただいて嬉しいですね」

青木院長は微笑んだ。「何かご質問がございますか？」

「そうですね……。いや、何も」

奥村は首を振った。

「では、確かにお嬢さんはお預かりいたします」

青木院長が立ち上がると、奥村も慌てて立ち上がった。

「あの、面会に来てもよろしいのでしょうか？」

「むろんですとも。いつでも結構ですよ。面会日、面会時間などというものは、ここにはありません。刑務所ではないのですから」

ちょうどその時、ドアが開いて、中田晶子と兼子が戻って来た。

「外は少し寒いので、その辺だけにしました」

「中田君、そのお嬢さんの入院手続を取ってくれたまえ」

「かしこまりました」

「では奥村さん、彼女が事務的な手続はすべてやっていますので」

「分りました。……それで、帰る前に、ちょっとこの子と二人で庭を歩いてみたいのですが」

「どうぞどうぞ。中をゆっくりご覧いただいても結構ですよ」

奥村はオーバーを着込み、兼子にもコートを着せて、中田晶子に案内されて芝生へ出て行った。

応接室の窓から、青木院長は父娘の後姿を眺めていた。

――哀れなもんだ。一度入院したら、そう簡単に出してやるわけには行かない。かなりいい金蔓《かねづる》になりそうだ、あの爺さんは、と青木はほくそ笑んだ。流暢にまくし立てる彼の弁舌で納得しない親はほとんどいなかったし、その辺は自信があった。三十年間に五人の自殺者と聞いても、大した数ではないと思い、またこんな事まで説明するのは、この療養所が良心的である証拠だと思うだろう。誰が実際に死んだ数など調べるものか。調べた所で分りはしないだろう。家族にしても、厄介払いができてほっとする場合が少なくないのだ。

中田晶子が戻って来た。

「問題はなさそうね」

「楽なもんさ」

青木はウインクして見せた。

「なかなか可愛い娘じゃないか」

「すぐに目をつけて」

中田晶子が青木をにらんだ。「お嬢さんが許さないわよ」

「分ってるよ。冗談さ。あの爺さん、かなり金はありそうだな」

「今、身元を調査させてるわ。財産もね」

「では我々としては、お客さんにできるだけ長く滞在していただくように、せいぜい努力するだけだな」

青木院長は、声を上げて笑った。

庭へ出た二人は、枯れた芝生を踏みながら、ゆっくりと広い敷地の外縁を巡っていた。

「君は全く大した娘だよ」

遠藤警部が言った。

「しっ！　窓から見てるわ」

美奈子が鋭く言った。

「分ってるよ」

二人は全く表情を変えずに、口をかすかに動かすだけで話をして、他の患者が近くにいる時には口をつぐんだ。

「俳優になる勉強でもしていたのかね？」

「いいえ。警部さんだって、なかなかのものよ」

「上西さんの話を聞いた時は、どんなものかと思ったんだが、君なら大丈夫、やれそうだね」

「やってみせるわ。修一さんを見つけ出さなくちゃ」

「しかし、くれぐれも無理をしないでくれよ。焦ると危険だからね」

「ありがとう。——あの院長さん、どうだった？」

「いかさまだね。口だけ達者で、中身は空っぽ。ああいう手合はよく見るよ。詐欺師に多いタイプだ」

「こわいわね」

「全くだ。また土曜日に面会に来るからね、何か問題があったら、その時に」

「ええ、大丈夫、心配しないで。上西さんによろしく伝えて下さい」

二人はゆっくりと、出て来た棟へ戻って行った。

美奈子は、遠藤警部が帰って行くのを見送りながら、心中に緊張と闘志が湧き上がるのを感じた。上西の推理が正しければ、ここに、修一が監禁されているのだ。美奈子は上西の言葉を信じていた。必ず探り出してみせる。

修一はここから声の届く所にいるかもしれない、と思うと、それだけで胸が一杯になった。しかし、焦りは禁物だ。

充分に用心して、しかし大胆に行動するのだ。美奈子はそう自分に言い聞かせた。

「兼子さん」

中田晶子が美奈子の肩を抱いて、

「さ、あなたは今日からここで暮らすのよ。あなたのお部屋へ案内するわ」

美奈子は全く無表情のまま、黙って歩き出した。この無表情の仮面をつけ続けているのは難しいだろうが、必要な事であった。

兼子。この名に馴れなければならない。とっさの時に、この名が出て来るように、忘れずにいなければ。兼子。私は兼子。奥村兼子……。

美奈子は何度も自分に向かってくり返した。

渡り廊下を通って、次の棟へ入る。二階建で、ずっと個室のドアが廊下に並んでいた。

中田晶子は美奈子を二階の一室へ連れて行った。

二〇八号室。部屋は広くはないが、草色のカーペットを敷きつめてあり清潔な感じで、ベッドと机、書棚もあって、なかなか洒落た感じであった。正面が窓になっている。美奈子の身の回りの物を入れたトランクが、ベッドの上に運んで来てあった。

「ここがあなたの部屋よ。そのドアの向こうがトイレと浴室。正面の窓は開かない様になってますからね。ドアは鍵が外側からだけかけられるようになっています」

さっきとはうって変って、突っけんどんな口調である。

「これが荷物ね」

中田晶子は美奈子のトランクを開けると、中味を一つ一つ調べながらベッドの上へ出して行った。洗面用具、化粧品から、セーター、下着まで、一枚ずつ取り出して広げてみている。美奈子は腹が立ったが、じっと無関心を装っていた。

「いいでしょう」

中田晶子はトランクの蓋を閉じて、「そこに洋服ダンスがはめ込みになっているから、しまっておきなさい。分ったわね？」

美奈子は黙って肯いた。

「ちょっと身体検査をさせてちょうだい」

「え？」

「用心のためよ。もし剃刀でも隠していて自殺されたりしたら困るから、手を少し上げて」

　慣れた手つきで、中田晶子は美奈子の体を調べた。

「はい、結構。――夕食は六時から八時までの間の好きな時間に摂《と》っていいですからね。食堂はこの下。すぐに分るわ。食事の時、盆に錠剤がついて来ます。軽い精神安定剤ですから、必ず服《の》んでね。食事の後は自由です。図書室は九時まで開いているし、本を部屋へ持って来て読んでも構いません」

「はい」

「何か訊きたい事は？」

　美奈子は黙って首を振った。

「じゃ、行きますからね。何か用があったら、いつでもいらっしゃい。私はさっきの事務棟にいますから。――ああ、それから、毎朝十時に先生の回診がありますからね、その時間にはここにいてちょうだい」

　中田晶子が出て行くと、美奈子は、息をついた。無表情でいるというのも、疲れるものだ。さて、荷物を片付けなくては。

　美奈子は着る物を洋服ダンスへしまい込むと、ベッドへ腰を掛けて、部屋の中を見回した。なかなか快適そうな部屋である。ちょっとしたホテルの一室といってもいい。精神病院の中には、外見ばかり近代的でも、患者に家畜並みの待遇を強いている所が少なくないと聞いていた。上西も、調べた限りでは〈平和園〉はそうひどい事はなさそうだが、謳《うた》い文句通りとは限らない、と美奈子に予《あらかじ》め少々の事は覚悟しておく様に言った。しかし今の所、まずは法外な料金を取るだけの事は向こうもしているようだ。

しかし、ホテルとは決定的に違う所が二つある、と美奈子は思った。窓にはめられた鉄格子と、鍵が外からしか掛からないドアだ。自由とプライバシー。その二つが、ここには存在しないのだ。

美奈子は、あの峯岸家の地下室での上西との出会いを思い出した。本当に、心臓が停まるかと思うほど驚いたものだ。

しかし、上西が何ら危険な人物でなく、むしろ自分の味方であると納得するのに、そう時間はかからなかった。それは本能的な女の直感ともいうべきもので、美奈子はそれを信じたのである。それに上西は極めて明瞭に、順序立てて事情を説明してくれた。上西という人間の不思議な魅力に、美奈子は強くひかれた。

上西から、この危険な任務の話を聞いた時、美奈子はためらう事なく引き受けた。上西は、その危険を何度もくり返したが、美奈子の決心は揺がなかった。

上西は、峯岸が組織した幻覚剤ルートの、日本での中枢が、この療養所にあるとにらんでいた。峯岸紀子と芳子の姉妹は、毎週土、日曜日には、この療養所へ出かけて来ていたのだ。ここへ美奈子を患者として連れて来るのに、自分の代りに遠藤警部を使ったのは、紀子が上西の顔を小林の名で知っているからであった。

美奈子の任務は、むろんまず修一を発見する事。そして密輸のルートについて、どんな小さな事実でも、探り出す事であった。相手に知れれば命はあるまい。しかし、美奈子はやりとげて見せる、と心に誓った。

厚手のグレーのセーターと紺のスカートという、軽装に着替えると、まだ四時だった。夕食まで時間がありすぎる。図書室があると言っていた。少し患者の人たちと話をしてみようか。それとも、部屋へ閉じこもっている方が、本当の神経衰弱らしく見えるだろうか。

のんびりしている時間はない。美奈子は部屋を出て、階段を降りて行った。下の廊下を少し行くと、すぐに食堂だった。広いガラス窓から、中の様子が見てとれる。ちょうど大学の学生食堂のように、長いテーブルが整然と並べられている。この広さなら七、八十人は一度に食事ができるだろう。明るく清潔な感じで、リノリウムの床も磨き上げてあった。奥のカウンターの向こうでは、中年のおばさんたちが五、六人、夕食の仕度に忙しく動き回っていた。

美奈子は廊下を進んで行った。〈看護人休憩室〉〈洗濯室〉といったプレートをつけたドアが並んでいて、その向こうが、図書室だった。入口は広く、ドアはない。思っていたより、ずっと広いので、美奈子は驚いた。せいぜい本棚が一つ二つ並んでいる程度だろうと思っていたのだ。

教室二つ分位のスペースに、壁一面に本が並んでおり、正面は芝生へ面してガラス張りになっている。ソファや長椅子があちこちに置かれて、その傍に、雑誌や新聞のケースがあった。今は老婦人ばかりが十人余りソファに坐っていたが、うたた寝をしている人がほとんどで、室内は静まりかえっている。

美奈子は興味を覚えて、本棚の本を眺めながら、ぶらぶらと歩いて行った。文学書の類は少なく、実用書、歴史物、自叙伝などの、比較的軽い読物が多いのは当然の事だろう。きちんと分類され、整理されているのは、おそらく誰か司書の資格のある人を雇っているのではないかと思わせた。

ともかく何か読んでいる風に見せなくては、と美奈子は雑誌の棚から、無難なファッション雑誌を取り出して、空いたソファの一つに腰を降ろした。——パラパラとグラビアページをめくっていると、誰かの影がビキニの水着のモデルの上に落ちて、弱々しい、しわがれた声がした。

「お久しぶりですわね、お嬢さん」

2

大きな毛糸のショールを肩に巻きつけた、七十歳前後の小柄な老婆が、婦人雑誌を手に小さな目を忙しくしばたたきながら、美奈子を見ていた。

誰だろう。どこで会ったろう。必死に思い出そうとした。もしこの老婆が自分を牧美奈子だと知っていたら、大変な事になるのだ。ここは知らん顔をしていなければならない。

「あの——どなたでしょう」

美奈子は平然とした風を装って、言った。

「申し訳ありませんが、私、少しもあなたを存じ上げません」

老婆は困った様な顔で、美奈子を眺めている。よかった、この人にも確信はないのだ、と美奈子は思った。

「どなたかとお間違えではありません？」

「そう……そうかしら……でも、確か以前にどこかで……」

「私はさっぱり憶えがありませんけど」

老婆は大分自信を失った様だった。

「そうですか……」

と消え入りそうな声で呟いている。

老婆はじっと眉を寄せて、美奈子の顔を、穴が開くほど見つめている。どこで見たのか思い出そうとしているのだろう。美奈子の方はこの老婆に全く見憶えがなかった。老婆が何か思い出さないうちに部屋へ戻ろうと思った時だった。

「あら、お婆さん、また知り合いがいたの？」

明るい声がして、小太りな二十二、三歳の娘が二人の方へやって来た。どこもかも丸っこく出来た血色の良い娘で、これも丸縁の眼鏡をかけている。

老婆は邪魔をされて機嫌を損ねたらしく、何やらぶつぶつ言いながら、いささか頼りない足取りで出口の方へ歩いて行ってしまった。

「あなた新しい人ね」

「ええ」

「あのお婆さんなら気にしなくていいのよ。新しく入って来た人は誰でも知り合いに見えるらしいの」

「そうなの……」

美奈子はほっと息をついた。

「私、西尾みどり」

「奥村兼子です」

「よろしくね」

「こちらこそ」

話のできそうな相手を見つけて、美奈子はほっとした。二人は隅のソファに腰を降ろした。

「来たばかり？」

「ええ。ついさっき」

「そう。ま、ここもそう居心地は悪くないわよ。出たいと思いさえしなきゃね」

西尾みどりは陽気に、この療養所の事をあれこれ話した。患者は現在七十四人。女性だけで、三分の二は六十歳以上の年寄りだ。

「半ば高級養老院ってとこね。何しろ若い人が少ないでしょう。話相手がなくて困ってたのよ。仲良くしましょうね」

「ええ」

「ところで、あなた、どうしてここに来たの？」

美奈子は少々頼りなげに、

「神経だって……お医者さんに言われて」

「神経ねえ。ここへ来て、年寄りと一緒にぶらぶら怠けて良くなるのかしら」

「あなたは？」

「私？　私ね——」

みどりは急に声を低くすると「驚いちゃだめよ」

「ええ……」

美奈子は思わず身を乗り出す。

「満月の晩に狼女になるの」

——二人は大笑いした。

部屋で雑誌をめくっているうちに、十時が過ぎた。美奈子はパジャマに着替えると、部屋の明りを消し、ベッドへ入り込んだ。眠いわけではなかったが、明日、朝食を七時に一緒に食べよう、と西尾みどりと約束したのである。美奈子は、入園一日目で、みどりのように気軽に話のできる相手を見つけられてよかったと思った。全く正常に見えるみどりが、どうしてここへ入っているのか。みどり自身の言葉によれば、「要するに厄介払いされたわけ」という事になる。みどりはある地方政治家の私生児として生れたのだが、父親が県知事に立候補する事になり、対立候補の陣営がみどりの存在を嗅ぎつけそうになったのでスキャンダルを恐れた父親が選挙が終るまでという約束で、みどりをこの療養所へ入れたのだった。ところが選挙が終っても一向に出してくれない。手紙を出しても返事も来ないし、電話をかけても、つないでくれない。みどりは父親の意図を知って、ここから逃げ出してやろうかと思ったが、自由とはいっても、出入りは厳重にチェックされ、塀も高く、とても乗り越えるのは不可能だったし、院長の許可がなければ、退院は許されない。それに治療費を出し惜しみさえしなければ、院長は退院を許可するはずはないのだ。こうしてすでに三年が過ぎていた。

気の毒な話だ。たとえどんなに待遇が良くても、二十歳過ぎの娘が、こんな限られた場所へ閉じ込められているのは、どんなに辛い事だろう、と美奈子は思った。

明日はみどりに療養所の中を案内してもらう事になっていた。修一の手掛りが何かつかめるかもしれない。第一日が、思ったよりずっと順調で、何となく楽観的な気分になっていた。夕食も悪くなかった。ただし、一緒にもらった錠剤は、みどりの忠告に従って、飲んだふりをして舌の裏側へ含んでおき、後で洗面所で流してしまった。患者を大人しくさせるために必要以上に安定剤を服ませる病院もある、という事を、美奈子は上西からも聞いていた。できるだけ薬は服まないように、と注意されていたのだ。

　夕食の席で、美奈子は五、六人の医師を見かけたが、みんなどう見ても六十歳は越えている老人ばかりなので、驚いた。みどりの説明では、どうせ治療らしい治療はしないので、医師の数だけ揃えるために、引退した医者を連れて来ているのだ、という事だった。これと対照的だったのが、短い白衣を着た、三十代の逞しい男たちで、これが看護人だった。どう見ても看護人というより、用心棒といった方が適当な手合で、食堂や廊下で見かけただけでも十二、三人は下るまい。

　美奈子は、ここが薬の密輸のアジトならば、あの看護人たちは、実際、その組織の用心棒なのだろう、と思った。

　興奮のせいで、なかなか寝つかれなかったが、一時間ほどして、ようやく眠気がさして来て、枕に顔を埋める。

　うとうとしかけていた美奈子は、何かの物音で目を覚ました。最初は何か分らなかった。じっと寝たまま耳を澄ましていると、廊下を、引きずるような足音が近づいて来る。普通の足音なら、夜の見回りぐらいに考えただろうが、明らかにそれは足音を殺した歩き方だった。リノリウムの床をこする音は、ゴム底の靴かスリッパのようだった。何か言いようのない不安に捉えられて、美奈子はベッドに起き直り、スタンドをつけた。部屋が明るくなると、少し不安が鎮まる。ベッドから滑り出て、そっと裸足でドアへ近づき、耳を当てた。足音は階段の方から、廊下を進んで来る。キュッ、キュッ、という音を聞いて、ふと今日どこかで聞いた音だな、と思った。どこだったろう？

足音がゆっくりと進んで来て、美奈子の部屋の前で停まった。美奈子はドアの鍵が内側からは、かからない事を思い出して、両手でノブをつかみ、力一杯、ドアを内側へ引っ張った。しかし、足音はまた動き出し、美奈子の部屋の前を通り過ぎて行った。

美奈子は、ほっと息をついた。同時に、あの足音を思い出した。食堂で、食事を摂っていた看護人たちの白いゴム底の靴の音だ。しかし、一体何をしているのだろう。巡回にしては、足音を殺した歩き方が妙である。

突然、ドアを叩く音がして、美奈子は驚いて声を上げそうになった。が、すぐに隣のドアだと気付いて胸をなでおろした。静かなので、一瞬、このドアかと錯覚したのだ。

隣室のドアが開く音がして、

「早く……早く……」

と囁く、女の声がした。

足音が消え、ドアがカチッと閉じた。美奈子は、呆然として立っていた。まさか、看護人が患者の所へ？　いや、考えられない事ではない。何しろ、女ばかりの療養所。それにあの逞しい看護人である。美奈子は嫌悪を感じながら、明りを消し、ベッドへもぐり込んだ。

その音は、すぐに聞こえて来た。余り静かなので聞くまいとしても、いやでも耳に入って来る。

ベッドがきしむ音、女の喘ぐ声、時には叫ぶようなかん高い嬌声が、耳についた。美奈子は堪えきれなくなって、ベッドから起き上がり、部屋を明るくして、本をめくった。物音と声は飽かず続いて、うんざりした美奈子は、窓へ立って行った。カーテンを手でからげて、白く曇ったガラスをふいて、外を覗く。広い芝生が、青白くライトで照らし出されている。ガラスに手を触れると、凍るように冷たい。外は厳しい寒さであろう。美奈子は、芝生へ何か黒いものが走り出したのを見て、何だろう、と思った。それは忙しげに芝生の上をかけ回った。――犬だ。美奈子はぞくっと身震いした。

その敏捷な動きに、獰猛《どうもう》さが見て取れた。影のように黒い犬は、ひとしきり走り回ると、今度は、油断ない見張りのように、芝生を行き来し始めた。事実、見張りなのだろう。誰も逃げ出す事のないように、夜の間、放してあるのに違いない。

どんなに快適でも、やはりそれはうわべだけの事だと美奈子は思った。この厳重な警戒ぶりは、やはりただ事ではない。明りを消して、美奈子はまたベッドへもぐり込んだ。

隣室の物音はなおもしばらく続いていた。


翌朝、まだほとんどの患者が起きて来ていないので、美奈子が行った時、食堂はがら空きだった。西尾みどりもすぐ現われた。

「よく眠れた？」

「まあまあね」

美奈子は苦笑した。

「何となく、分るわ」

みどりが笑顔で言った。

ハムエッグ、トースト、紅茶の朝食を済ませると、庭へ出る事にした。

二人は部屋からコートを持って来て、はおると、渡り廊下から庭へ出た。昨日に続いてすばらしい天気だった。芝生にも、まだ患者の姿はない。この寒さでは当然のことだろう。美奈子は、昨夜、隣室へ看護人らしい男が忍んで行った事を話した。

「それは珍しくないのよ」

みどりは肯いて、「あの看護人と来たら、頑丈で、種馬みたいなのばかりですものね。この療養所で、治療らしいものが行われるのは、患者にできちゃった子供を外から呼ばれて来た医者が、堕す時ぐらいのものよ」

いささかいや気がさして、美奈子は話題を変えた。

「私の他にも最近入った人はいるのかしら？」

「そうね、最近は割合少ないのよ。三カ月前に尼さんが入って来てから、誰もいないわね」

「尼さん？」

「一日中、何か分らない事を呟いてるの。で、お経みたいだから、そう呼んでるのよ」

みどりは美奈子の腕を取って歩き出した。

平和園の敷地は変った区画になっている。建物はすべて一列に長くつながっていて、全敷地を縦断する格好になっている。建物で二分された一方の広い側は、外側の半分近い広さをカラマツの林が占めていて、建物に近い部分は、半分が芝生、半分が中央に小さな噴水をあしらった庭園になっていて、花壇で囲まれた遊歩道が、同心円状に広がっていた。

建物の反対側は、敷地全体を取り囲む、高いレンガ塀との間の、幅十メートルばかりの細長い土地で、患者はそちら側へは入ってはいけないとされていた。

「何があるの？」

美奈子が訊いた。

「牢屋よ」

美奈子が驚いて立ち止まると、

「みんな、そう呼んでるの。正式には保護棟っていうらしいけど」

「要するに、危険な人を閉じ込めておくのね」

美奈子はふと思った。人を閉じ込めておける所なら、人を隠しておく事もできるのではないか。修一がここのどこかにかくまわれているとすれば、さしずめその保護棟の一室が最も可能性がありそうだ。

何とかして、その保護棟に近づいてみなければ、と美奈子は思った。

「奥村さん」

部屋で院長の回診を待ちながら雑誌をめくっていた美奈子は、ドアから覗いた中田晶子の声に呼ばれて顔を上げた。

「はい」

「ついていらっしゃい」

中田晶子は先に立って廊下を歩いて行った。昨日最初に入った棟へ連れて行かれた美奈子は、薄暗い、窓のない一室へ入って、待つように言われた。

「院長先生が診察されますからね」

中田晶子は言い残して出て行った。美奈子は、落ち着かない気分で、部屋を見回した。

天井も壁もカーペットも、同じ濃い紅色に統一されて、照明は天井に、覆いのかかったリングライトがあるきりだ。部屋の中に、黒い皮のアームチェアと長いソファ。小さな木のテーブル。他にも家具らしきものは、部屋の隅の電話機を乗せた台くらいのものだ。

一体ここが診察室なのだろうか。それに、回診ならば、医者が部屋をずっと回って行くはずなのに……。

仕方なくソファに腰を降ろしていると、ドアが開いて、白衣を着た青木院長が現われた。

「やあ、どうかな？」

「はい……」

「少しは馴れたかい」

「はい」

青木は殊更軽い口調で、園内の印象などを美奈子に尋ねた。美奈子が患者らしく、曖昧に返事をすると、青木はいちいち、愛想笑いを浮かべて肯いた。

ドアが開いて、中田晶子が、紅茶の盆を手に入って来た。

「さ、紅茶でも飲んで、ゆっくりくつろぎながら、話をしよう」

美奈子は、中田晶子が出て行く時、ドアに鍵をかけたのに気付かなかった。

「誰かと、話をしてみたかね」

「西尾みどりさんと……」

青木が、ちらっと眉をひそめるのが分った。が、すぐ笑顔に戻った。

「あの子は明るい性格の、いい娘だよ、ただ少々元気が良すぎる所があってね。ちょっと躁鬱の所が……」

青木はちょっと不安気だった。何の異常もないみどりが、新入りの患者に妙な事を吹き込まないかと心配しているのだろう。

美奈子は内心おかしくなった。笑いを殺して紅茶を飲んだ。何だかまずい。出がらしかしら。

「むろん友達ができるのは、君にとっても大変いい事だよ。大いに色々話をしなさい」

「はい」

「今日君を呼んだのはね、一応新しく入って来た人について、心の状態をよくつかんでおきたいからなんだ。我々は決して強制的な治療に走る事はなく、患者の側の自発的な回復を待つ、という方針をとっている。これは、おそろしく時間はかかるかもしれないが、最も自然な方法なんだ。ノイローゼとか、精神障害のある人にとって、その原因は、大部分が何年、何十年にもわたる経験の積み重なりなんだ。何年もかかって病気になった人は、元に戻るのにも、同じ年月が必要だ。内科や外科のように、手術や薬で短期間に障害を取り除くことは、この分野ではできないんだ。分るかね?」

「はい」

美奈子は、何となく瞼が重くなるのを感じた。欠伸をこらえるのに苦労した。

「心の病いの治療は根気が何よりも大切なんだ。一日一日のたゆみない積み重ねだ。君も知っていると思うが、精神医療の歴史は、ごく新しいものなんだ。……」

青木の話が、美奈子の意識の外を通り過ぎて行った。眠い。眠っちゃいけない! しゃんとして。瞼を開けて、さあ。

話が単調に続いて、それが美奈子をいっそう眠りへと誘って行った。

「現在では、大病院においては……」

青木院長は口を閉じて、美奈子の様子を窺った。

「奥村君。兼子さん」

青木はそっと手で美奈子の肩をゆすった。美奈子は完全に眠っていた。青木はにやりと笑った。少量の睡眠薬プラス退屈で単調な話。これこそ最高の催眠術だ。

青木は美奈子の体をソファに横にすると、じっとその寝顔を眺めた。可愛い娘だ。少し向こう気の強そうな所もあるが、なに、この手の女は一度ものにしてしまえば、脆いものだ。

青木はソファの傍に膝をつくと、手でそっと美奈子の額の髪をかき上げて、しばらくその寝顔を見入っていたが、やがて美奈子のセーターをたくし上げて、その下へ手を滑り込ませた。引き締った胸の膨みが、掌に快い弾力を感じさせた。息遣いが荒くなる。青木はもう待ちきれなくなって、性急な手つきで、スカートの止め金を外し、ファスナーを下げると、スカートを脱がし、床へ投げ捨てた。そして、形のよい足を徐々に露わにして行った……。

――おぼろげに意識が戻って来る。いつもの目覚めとは、様子が違う、と美奈子は思った。まるで時間がゆっくりゆっくり流れて行くようで、瞼が上がりきらない、そんな感じだ。ようやく視界が焦点を結ぶと、見馴れない一部屋だった。見馴れない？　いや、ここは自分の部屋だ。奥村兼子、私は兼子なんだわ。ここは私の部屋だ。まだ部屋は明るいのに、なぜベッドで寝ているんだろう。いつ、どこで眠ってしまったんだろう。少しずつ思い出して来る。診察。診察室。そうだ。あの何もない診察室で、私は院長の話を聞いていた。そして……そして？　眠ってしまったらしい。本当にそうらしい。そうだわ、眠かった。それまでは憶えてる。

誰かが、ここへ連れて来てくれたんだわ。そしてベッドへ寝かして、毛布をかけてくれた。毛布の下で手を動かして、美奈子は思わず叫び声を上げる所だった。セーターも着て、スカートも着けているのに、下着が乱れている。

顔から血の気がひいた。一瞬に事情が呑み込めた。院長は始めから私を眠らすつもりだったのだ。紅茶に何か入っていたのだろう。何のために？　問う必要もないほど、答えは分りきっている。ああ、私はどうなってしまったんだろう！

頭上で声がした。

「目が覚めたのね」

驚いてベッドに起き上がる。窓際に、白衣を着た女性が立っていた。

「私がここへ連れて来させたのよ」

美しい女性だった。彫像のような、滑らかな肌。整いすぎるほど整った顔立ちだ。

「あなたは……」

美奈子は問うように言った。

「私はここの者よ」

その女性は美奈子に微笑みかけると、

「今、十一時半よ。昼食前にシャワーでも浴びたら？　頭がすっきりするわ」

美奈子は、毛布の下の自分の体をまるで他人の体を眺めるように恐る恐る眺めた。

「また会いましょうね」

白衣の女性はそう言って、美奈子の部屋を出ようとしたが、入口で振り向くと、

「あなた、心配しなくていいわよ」

「え？」

「何もされていないわ。大丈夫」

彼女は出て行った。呆然と見送った美奈子は、ゆっくりベッドから出ると、窓のカーテンを引き、ドアを細く開けて近くに誰もいないのを確かめてから、素早く下着を全部取り替えた。あの女性の言葉で何となく気持が静まった。実際、何かされた様子はなかった。あの女性が院長の邪魔をしたのだろう。彼女は一体何者なのだろう。

美奈子は、はっとした。あれほど上西から聞いていたのに、なぜすぐ分らなかったのだろう。

あれは峯岸紀子に違いない。


紀子は、白衣のポケットから鍵を出して保護棟へつながる渡り廊下に入る扉を開けた。細い廊下を渡って保護棟の中へ入る。暗い、と思った。窓が小さいだけ照明を明るくしてあるのだが、それでもずっと閉ざされたドアが並ぶだけの、静まりかえったこの建物の中には、暗さが淀んでいた。刑務所の独房は、こんなものなのかしら、と紀子は廊下

を歩きながら思った。ここはもちろん刑務所より、ずっと待遇はいいはずだ。それでも、きっと自分なら堪えられないだろう。紀子は、地下室で青春の何年かを過ごした雅子の事を考えた。雅子があんな風になってしまったのも、仕方のない事だったのかもしれない……。

紀子は一番奥まった部屋の前まで来ると、ドアを叩いた。覗き窓が開いて、看護婦の顔が覗いた。

「私よ」

紀子が言うと、すぐにドアが開いて、紀子は中へ入った。ベッドで雑誌を読んでいた修一が紀子を見て、

「しばらく見えませんでしたね」

「出かけていたのよ。どう具合は?」

「むずがゆくて閉口ですよ」

「良くなっている証拠よ。もうしばらくの辛抱ね。両足骨折なんて、そう簡単には治らないわ」

「分っています。しかし――長いですね、一日が」

紀子は、看護婦に手を振って、部屋を出て行かせると、ベッドの傍に椅子を持って来て腰を降ろした。

「今日は何日です?」

「二月の五日よ」

「もう時間の感覚がすっかりなくなってしまって」

修一は、少しやせてはいたが、顔色は悪くなかった。

「もう、いい加減で教えてくれてもいいでしょう」

修一が言った。

「何を？」

「ここがどこなのか、僕をどうするつもりなのか」

「それはまだ言えないわ。あなたがすっかり良くなったら、教えてあげる」

「病院か、それらしい所だって事は分りますがね」

「私の経営している療養所。そんなところね」

紀子は軽い口調で言った。

「どこへ行っていたんです」

「東京よ。用事があって」

「雅子さんは見つかったんですか？」

紀子は無表情に首を振った。

「だめね。捜そうにも手掛り一つなしでは」

「なぜ東京にいると思うんです？」

紀子はしばらく黙っていたが、やがて嘆息しながら、言った。

「いいわ、教えてあげましょう。雅子は東京でこの二カ月足らずの間に三人の男を殺してるの」

修一は目を見張った。

「誰を、です？」

「一人は弁護士、それに音楽家、医者」

「知っている人ですか」

「いいえ、私はまるで知らないわ」

「ではなぜ――」

「私にだって分らないのよ」

修一はやや考え込んでから、

「なぜ雅子さんがやったと分るんです？」

「同じナイフを使っているからよ、芳子を刺したのとね」

「ナイフを残しているんですか？」

「ええ。あのナイフは父がドイツで買った六本一組の珍しい品なの。あの娘《こ》は館から逃げる時、芳子を刺した一本以外の五本を持って行ったのよ」

「では警察もそれを知っているわけですね」

「ナイフは私が隠してしまったから、警察は犯人が凶器を持って逃げたものと思っているはずよ」

修一はちらりと、探るような目で紀子を見た。

「ともかく」

紀子は続けて、「ナイフはまだ二本残ってるわ。雅子がどうしてあんな事をしているのか、見当もつかないけれど、これでまだ終りそうもないような気がするわ」

「どうするつもりです？」

紀子は肩をすくめて、

「どうしようもないわ。手は尽くしているのよ。でも警察より先に雅子を見つけられるかどうか、私にも自信はないわ」

紀子は、何か欲しいものはないかと訊いて、修一が首を振ると、ちょっと微笑んでみせて、部屋を出て行った。

――修一は、一人になると、じっと天井を見つめながら、考え込んでいた。

修一は十日間ほど、あの峯岸家の地下室にいて、深夜、峯岸家の知人らしい医師の治療を受けていた。そしてある夜、白衣を着た大柄で屈強な男たちが数人やって来て、修一に麻酔を施し、担架で運び出したのである。毛布にくるまれ、大きな乗用車の後部座席に乗せられた事は憶えていたが、その後は眠ってしまって、気が付くと、この部屋に寝かされていたのだった。

紀子は一体何を考えて、彼をここへ連れて来たのか。修一には大体の所は察しがついていた。一つは雅子の事を警察に知られたくないからであろう。殺人狂でも、妹は妹である。できれば自分の力で見つけ出し、またひそかに監禁しておくつもりなのだろう。

しかしそれだけではないはずだ。ここへ移されてしばらくは、新聞も雑誌も見せてもらえず、ラジオを聞く事もできなかった。おそらく、峯岸芳子殺害の容疑者として、自分の事が手配されていたからであろう。他にも、島崎と昌江も殺されている……。だが、もしその通りなら、修一が全快した時、紀子はどうするつもりなのだろう。

紀子はどんな事でもできる女だ、と修一は思った。人知れず殺すつもりなら、わざわざ治療などするまい。しかし、自由にするとも思えない。一体どうなる事か。

——今は心配した所で、どうしようもない。一歩も動けないのだから、回復するのを、じっと待つ他はないのだ。

美奈子はどうしたろう、と修一は思った。心配しているだろうが、どうしてやる事もできない。美奈子のことだ、じっとアパートの部屋で、自分が戻るのを待っているだろう。修一は彼女の暖かい微笑みを思い描いて、気を紛らわせた。

3

三日目から雪が降り出し、二日間降り続いた。退屈な時間を、美奈子は大部分図書室で過ごした。幸い本は豊富なので、時間をつぶすのは容易だった。時々は、みどりとも話をしたが、外にいる時ほど好き勝手な話はできない。みどり以外にも、何人かの患者と知り合った。軽症の人が多く、話をするのに、何の苦労もいらなかった。そういう人たちは、たださいな一点で、普通の人と違うだけだった。

ある婦人は毛糸で、同じ編物を限りなく続けていた。何を編んでいるのか訊くと、泣き出してしまうのだ。それでもすぐ笑顔になって、すでに三メートルはあろうかという編み終えた分を足下につみ上げながら、編物をつづけるのだった。

ある初老の婦人は、美奈子が自分の娘と似ているといって話しかけて来た。娘の子供の頃の思い出から、嫁にやるまでの苦労話、今は孫が三人もいて、と相好《そうごう》を崩して話しつづけた。後でみどりが、首を振りながら、言った。

「その可愛い娘が、母親を結婚に邪魔だというんで、ここへ入れちまったんだけどねえ」

美奈子はまた、文学好きの少女と知り合った。彼女は十七歳で、なかなか愛くるしい娘だった。もうここに二年いる、と言って、家に帰りたい、と涙ぐんで美奈子を困らせたが、話が文学の事になると、人が変ったように、話に熱中し、雄弁をふるった。どこにもいる、感傷的な少女だったが、ただ、時々手近なものに火をつけてしまう癖があった。彼女の近くにはマッチやライターの類は絶対に置かない事になっていた。しかしそれを除けば、何一つ変る所のない平凡な少女なのである。

美奈子は、精神病患者について、それまで抱いていた漠然とした概念を大いに改めさせられた。彼らは何ら普通の人と変る所はなかった。いや、普通の人だからこそ、病いにとりつかれたのだ。ただ一点で、常識を踏み外しているだけで、それが彼らをここへ収容させているのだった。しかし、常識って何だろう。美奈子は時折思うのだった。何の害もないこの人々よりも、ずっとずっと不愉快な連中が世間には溢れているではないか。一体誰が、常識と非常識の境界に線を引くのだろうか……。

肝心の探索の方は、一向にはかどらなかった。雪で表へ出られなかったし、患者たちとの話からも得る所はなかった。青木院長はあれ以来、美奈子と顔を合わせないようにしていた。毎朝の回診も素通りだった。それにしても、あの院長は、他の娘にも手を出した事があるのだろうか。全くひどい話だ。美奈子は毎夜、眠る時には、ドアのノブとベッドの足を、手拭を裂いて作った紐で固くしばりつけて、ドアを開けられないようにしておいた。

雪が上がって、すばらしい天気になった。

美奈子は、まだ雪が残る芝生へ、午後の散歩に出た。他にはほとんど患者の姿はない。空気は凍りつくように冷たかったが、その透明な事は、都会の人間にはとても想像もできないものだった。裏手の空にくっきりと、箱根の山々がそびえて、こんな遠くからでも、木の一本一本が数えられそうであった。

芝生から、庭園の遊歩道へ入る。ふと、美奈子は、他に人影がないのを確かめて、あの保護棟を調べに行こうか、と思った。危険かもしれない。しかし、危険は承知の上であり、このままではいつまでも事態は進まない。決心すると、美奈子は庭園を出て、自分たちのいる棟と、ボイラー室や機械室のある棟とをつなぐ、渡り廊下の方へ歩いて行った。渡り廊下は地面から一メートルほど高くなっていて、下をくぐり抜ける事ができた。誰も見ていないのを確かめて、美奈子は腰をかがめ、渡り廊下の下へもぐり込んだ。

　裏側へ出て腰をのばすと、棟の角から、そっと覗いて見る。レンガ塀と建物に挟まれた細長い敷地が、ずっと道路のように見渡せて、小型トラックや、三台ばかりの乗用車が、野ざらしで置いてある。保護棟は、美奈子のいる生活棟の半分くらいの大きさの、平屋の建物だった。さらにその裏手へ回ってみると、のっぺりとした壁に、小さな窓が並んでいる。窓には鉄格子がはまって、どれもカーテンが閉じたままになっていた。

　美奈子は、雪の残った足下に気をつけながら、手近な窓の下へ近づいて行った。雪を踏むと足音がほとんどしないので、容易に窓の下へ辿り着いた。カーテンの隙間でもないかと捜したが、見当らなかった。何とか中を覗き込みたいと思ったが、窓の位置が高すぎるし、近くに踏み台になりそうな物もない。美奈子は修一の名を呼んでみたい衝動に駆られるのを、必死で抑えた。

　美奈子は、少し窓の下で待つ事にした。そのうちに、何か声でも聞く事ができるかもしれない。その時、美奈子は、低い唸り声を聞いた。振り向くと、あの黒い犬が、わずか数メートル離れた所から、彼女をじっと見ていた。

　美奈子は、そろそろと立ち上がった。こうして目の前にすると、その大きさが際立って見えた。ドーベルマンという種類ではなかったろうか。見るからに、敏捷で、獰猛な犬だった。胸が出て腹部が細くしまり、足も細く長い。短い耳がぴんと立って口を半ば開いていた。その低い唸り声は、美奈子の心を凍りつかせた。鋭く尖った歯が真赤な口の中に覗いている。

飛びかかって来るだろうか。美奈子は、そのまま動かずにいた。少しでも動けば襲いかかって来るような気がした。実際、犬はいつでも飛びかかれるように、姿勢を低くし、身構えていた。あの牙で喉をかまれたら、ひとたまりもない。犬は吠えなかった。ただ低く唸っているだけで、それが一層不気味だった。——このままではいられない。美奈子は、よく訓練された犬は、主人が「かかれ!」と命じなければ、決して襲いかからない、と聞いた事があった。しかしこの犬がそう訓練されているとは限らない。見知らぬ人間が入って来たら、攻撃するようにしつけられていたら? しかし、時には患者が誤って入って来る事もあるだろう。そこまで攻撃的にしつけてあるとは思えない。一か八か、やってみる他はない。いつまでも釘づけにされていては、そのうち誰かに見つかってしまう。

美奈子は、慎重に、一歩踏み出そうとした。犬がすっとしなやかに体を沈めて、攻撃の体勢を取った。美奈子はまた足を止めた。額から、こめかみに汗が伝う。口の中がカラカラに乾いて、コートのポケットに入れた手が、じっとり汗ばんでいる。犬の方も動かなかった。美奈子は思い切って犬から目をそらした。そして、くぐって来た渡り廊下へ向けて、ゆっくり足を運んだ。立ち去ろうとする意志を明確にするように、ことさら一歩一歩を大げさに踏み出した。視界の隅に、犬がじっと自分の動きを追って向きを変えているのが分った。しかし犬は襲っては来なかった。美奈子は犬に背を向けて、やや足を早めた。しかし、走れば却って危ないような気がして、ただ歩く速度を早めただけだ。それほどの距離でもないのに、途方もなく長い。今にも背に犬の重みがのしかかって来るかと、気ばかりが焦った。やっと渡り廊下へ辿り着くと、下へもぐり込む。足がもつれて転びそうになりながら、反対側へ抜けると、いきなり全力で駆け出した。庭園の花壇を飛び越え、芝生へ駆け込んで、やっと足を止めた。息が切れ、冷たい空気で喉が痛んだ。ベンチに腰を降ろして、激しく肩で息をしていると、いつの間にか、西尾みどりが前に立って、呆れ顔で見ていた。

「何やってるの？　こんな所で百メートル競走の練習？」

その夜、十二時を過ぎてから、院長室に数人の人間が集まっていた。しかし院長の席についているのは青木ではなく、峯岸紀子だった。

ソファと来客用の椅子には、青木と中田晶子の他、三人の中年の医師と、看護人の制服を着た男が一人坐っていた。

峯岸紀子が口を開いた。

「集まってもらったのは、新しい契約の事について知らせておこうと思ったからです。でもその前に」

と中田晶子の方へ、「いつもの通り、何かみんなからの報告があれば聞きます。晶子、あなたの方は？」

「何も問題はありません」

中田晶子はやや固苦しい口調で答えた。

「療養所部門が順調に運営されているのは重要な事ですからね」

「承知しています。ただ――」

「何？」

「あの……経費が最近特にかさんで、収支がとんとんになっています。少し節減しては と……」

「必要ないわ。療養所で利益を上げるのは、却って税務署などの注意をひきつけて、危険なのよ。収支が赤字になったら、値上げすればいいわ。待遇を落とす事はやめましょう。平和園は、あくまで非のうちどころのない施設でなければいけないのよ」

「分りました」

「あなたの方はどう？」

紀子は三人の医師の一人に言った。

「こちらも問題ありません」

「お年寄りの医師《せんせい》たちは何も気が付いていないでしょうね」

「大丈夫ですよ」

医師は笑って、「もういい加減ぼけているのばかりですからね。患者の方がしっかりしてる位だ」

「それで結構。ここで何をやっているか、気付かれないためにわざわざそういう医者を選んでいるんですからね」

紀子は続けて、

「看護人の方は？」

「何も」

看護人の責任者らしい男が首を振った。

「そう」

紀子はひと息つくと、「私から一つ、言っておく事があります」

青木がちょっと渋い顔をした。

「先日、私はある医師が、新しく入って来た患者の若い娘を、薬で眠らせて、手ごめにしようとしているのを見つけて、危うくやめさせました」

青木は顔を紅潮させて、じっと下を向いていた。

「これはとんでもない事です。その娘が親に訴えて、警察が介入して来たら、この組織そのものが危険にさらされるのです。よく全員、肝に銘じておくように。それから、看護人の中には、患者の婦人を夜中に訪問するという変った仕事をしている者がいるようですね」

「いや……それは……」

「まあ、相手も望んでの事なら、少々の事は目をつぶります。でも暴行沙汰になる事がないように」

「それは充分に注意していますから……」

看護人が額の汗を拭った。

「では、仕事の話に移ります」

紀子は事務的な口調で続けた。「先日東京へ出向いて、ある有閑夫人連の集まりと接触しました。仲介を通して交渉させ、第一回めの契約分だけで約三千万円の仕事になる見通しです」

一斉にため息が洩れた。

「すばらしいですわ」

中田晶子が言った。

「在来のルートへの薬の供給が少し滞っています。大臣の奥さんから督促《とくそく》されましたよ」

「薬の入荷が遅れているせいですよ」

医師の一人が言った。

「それに新しい種類のものが欲しいですね。顧客は新しい刺激を求めています」

青木が口を挟んだ。

紀子が肯いて見せると、中田晶子が書類を見ながら、言った。

「昨日、新しい薬が到着しました」

一同がやや、ざわめいた。

「薬の名は『狂熱』です」

「相当強烈な効果がありそうですね」

医師の一人が言った。

「おそらくね」

紀子は肯いてから、続けた。「ところが困った事に、今度の薬には、注射の適量が書いてありません」

「濃度もですか？　そりゃあ困る」

と、青木が言った。

「売れませんね、それじゃ」

「分っています。何かの手違いでしょう」

「どうします？」

中田晶子が訊いた。

「実験してみる他はありませんね」

紀子は平然と言って、「望ましくはありませんが、患者の中で、家族が面会に来ない、病状がどうなっても、少しも気にしないような患者がいれば、その患者で新しい薬を試してみます。適当な患者の心当りはあって？」

「ええ」

青木が言った。「西尾みどりがいいでしょう」

「待遇はどうだね」

「ええ、申し分ないわ。警戒は厳しいけど、大人しくしている限りは」

「ならよかった」

遠藤はほっとした様子だった。面会に来た父親と娘は雪の残る庭をぶらぶらと歩いていた。美奈子は、峯岸紀子を見かけた事と、修一が保護棟にいるらしい事を話した。

「ごめんなさい、大した事がつかめなくて」

「何を言ってるんだ。やっと一週間じゃないか。焦っちゃいけないよ」

「ええ」

「手紙や電話はどうなってるんだね？」

「手紙は受付の所のポストに入れておくと、出してくれる事になってるけど、中を読まれないとは限らないわ。電話は事務室のを使えるけど、部屋にいる人には全部聞かれてしまうから、危ないでしょう」

「やめた方がいいね」

遠藤は肯いて、「君に上西さんからのプレゼントを持って来たよ」

「プレゼント？」

遠藤がコートのポケットから、小さな箱を出して、中から、花柄の陶製のブローチを取り出した。

「きれいね！」

美奈子が思わず声を上げる。

「みごとだろう？　陶器はロイヤルコペンハーゲンだ。上西さんは高級趣味だからな」

「素敵な色ね」

「まあ、感心ばかりしていないで、裏をさわってごらん。小さな突起があるだろう」

「ええ」

「危険が迫った時はそれを押すんだ。そのブローチは小型の発信機なんだよ」

「まあ、まるでスパイ映画ね」

「もっとも、余り予算がないんでね、超小型高性能マイクとはいかないんだ。ただ短い信号を発信し続けるだけだ。有効範囲は六百メートル」

「たった？」

美奈子はがっかりしたように、

「それじゃ何にも――」

「心配ないよ。我々は今、この療養所と道を挟んだ、ある会社の保養所にいるんだ」

「上西さんも？」

「もちろんさ。その保養所とここでは、一番遠い端と端でも五百メートル位の距離だから、その発信機で充分に届く」

「みんな、ずっとそこに？」

「三日前からね。他の保養所や旅館にも、客を装って刑事が泊り込んでいる。全部で三十人以上になるだろう。みんなが君の合図を待ってるんだよ」

美奈子は新たな興奮で体が熱くなって来るのが分った。

「私、必ずやってみせるわ」

「だが、くれぐれも焦ってはいけないよ。合図があれば数分でここへ踏み込んで来られるが、それまでは君自身で自分を守らなくちゃいけないんだからね」

美奈子は、しっかりと肯いた。


上西は、モダンな鉄筋二階建の保養所の部屋で、今しがた警視庁から届けられた一通の電報を読んでいた。額に深くしわを寄せて、考え込みながら、もう何度も読んだその電文を読み返していた。

「やあ、上西さん」

遠藤が入って来た。

「どうだったかね、美奈子さんは」

「大したもんですよ。うちの課に欲しいですね。今の所、問題ありません」

「発信機は渡してくれたろうね」

「はい」

「あのお嬢さんは気丈なだけに、危ない事も平気でやりかねないからな」

「充分、注意しろとは言って来ましたがね」

遠藤はソファに坐って体をのばした。車で湯本まで降りて、また戻って来たのだ。

「警部」

ドアが開いて、遠藤の部下の若い刑事が顔を出した。

「片山か。どうした？」

「頼んであった梯子《はしご》ですが、夕方には用意できるそうです」

「よし分った」

刑事が出て行くと、遠藤は上西に言った。

「今のは片山といいましてね、若いんですが、射撃の腕がちょっとしたものですよ」

上西は、黙って何か考え込んでいる様子だった。

「何か心配事ですか？」

「うむ」

「美奈子さんの事なら大丈夫ですよ。しっかりした娘さんですなあ。ああ、そうそう、療養所の方から私の身元や財産を調べに来たらしいですよ」

「問題はなかったろうね？」

「上西さんが準備を整えたんですからね、問題なんかあるはずはありませんよ」

「週刊誌のチェックは？」

「目につきそうな所は全部調べました」

美奈子の写真がもし峯岸邸の殺人に関連してどこかに掲載されていて、紀子の目にでもとまったなら、美奈子の身元が割れて大変な事になる。そう思いついて、その種類の記事の載りそうな週刊誌をチェックさせたのである。

「結局、美奈子さんが言っていた女性週刊誌一つきりですね。しかしあの写真では、とても美奈子さんと分りませんよ」

「よし」

上西が重々しく肯いた。

遠藤は上西の手にしたものを見て、

「電報ですか？」

「そうだ。これがちょっと頭痛の種でね」

「何です？」

上西は遠藤の方へ電報を投げた。遠藤は一目見て、

「上西さん、これはないですよ」

「ああ、そうか済まん」

電報はフランス語の海外電報だったのだ。上西は電報を取り戻すと、

「パリ警視庁のノワレ警部からだ。個人的にも親しくしている。なかなか優秀な男だよ」

「何と言って来たんです？」

「セーヌに男の死体が上がった。もう半年以上も前のものだそうだが、鎖でコンクリートブロックに縛りつけてあったのが、解けて上がって来たらしい」

「殺しですね」

「日本人らしい、という事で、ノワレ警部は私の言っていた事を思い出し、当ってみたというわけさ」

「というと？」

「身元不明の日本人らしい死体が見つかったら、それが峯岸良三でないかどうか、調べてくれと言っておいたのだ」

「飛行機事故で死んだんじゃないんですか？」

「納得しきれなかったので、調べてくれと言っておいたんだ。しかしもう疑問の余地はない、セーヌに上がったのは峯岸良三だった」

「では、やはり飛行機事故で死んだのではなかったんですね」

「そうだ。少なくとも半年以上前に、射殺されてセーヌへ沈められたものらしい。歯科医が峯岸だと確認したんだよ」

「しかし、そうなると薬の密輸ルートはどうなってるんでしょう？」

「そこだ、私にもそこが分らない。国内でのボスは峯岸紀子に違いないと思っているし、彼女が近々ヨーロッパへ行くつもりだったのは分っている。そのためにフランス語の家庭教師を雇ったくらいだからな」

「父親の後釜に坐る気ですかね」

「そこが妙だ。父親が死んだとか、行方不明になったと知れば、すぐにもヨーロッパへ飛んで行くのが普通じゃないかな。出て行った形跡はなく、今でもあの療養所に彼女がいるのだから、ヨーロッパの側を任せられる誰か、よほどしっかりした人間がいる事になる」

「しかしそうなると誰が良三を殺したんでしょう？」

「分らん。組織の仲間割れか、勢力争いだろう。しかし、私は大分以前から、信用のできる男にあの療養所を見張らせて来た。しかし、あわただしい動きは何一つなかったんだ。ボスを失った組織が、慌てないはずはないと思えるが……」

峯岸良三が飛行機事故で死んだとは、上西も思っていなかった。しかし、誰に殺されたにせよ、今、彼は確実に死んでいるのだ。上西は、好敵手を失った寂しさを感じた。二人は同じ種類の人間だったのだ。求めるものは正反対でも、二人は似ていた。同じ事に笑い、同じ事に腹を立てた。そういう相手は、なかなかいるものではない。誰にせよ峯岸良三を殺した人間に、上西は怒りを覚えた。せめて彼が苦しまずに死んだ事を願った。

「連続殺人の捜査の方はどうなってるんだね？」

「さっぱり進みません。急行に飛び込んだ娘が、たまたま犯人と似てたんで、モンタージュが、ごっちゃになっちまったんですね」

「あの何とかいう店のウェイトレスは、犯人は見ていないんだね？」

「残念ながらね。彼女は記憶力がいいですよ、若いせいですかね。あの自殺した娘にモンタージュは似てましたからね」

「なかなか人の顔は憶えられるもんじゃないからな」

「そうですね。まあ犯人がもう分ってるようなもんだから、いいですが」

遠藤がふと思いついたように、「そう言えば、あのウェイトレスにこの間電話したんですがね、もう店をやめちゃったそうです」

「そうか」

「無理もありませんな。勤め先の目の前で殺人があったなんていうんじゃね」

上西はちょっと笑った。頭はまだ手にした電報の事で一杯だった。

峯岸が死んだ。彼の後を一体誰が受けついだのだろう。


十一時になったので、美奈子は、パジャマの上に、暖かいナイトガウンをはおって、みどりの部屋へ行く仕度をした。この所、美奈子とみどりは毎晩お互いに相手の部屋を訪問し合って、夜ふけまであれこれとおしゃべりをするようになっていた。夜中の見回りなどというものがないのは知っていたし、十二時になると、隣の部屋で例の物音が聞こえ出すので閉口なのだった。

廊下の寒さを考えて厚手の靴下をはき、スリッパをひっかけて、雑誌を手に、さて行こうか、とドアへ手をかけた時、階段を上って来る足音に気づいた。一人ではない。三人はいる。例の忍び足とは違って、事務的な足音である。じっと耳を澄ましていると、足音は廊下のずっと奥の方で止まった。人の声がちょっと聞こえたようだったが、すぐに消えて、二、三分してから足音が戻って来た。何事だろう。好奇心にかられて、美奈子は、足音が通りすぎるのを待って、ドアをそっと開けて、顔を覗かせた。階段を降りて行く看護人の姿がちらっと見えて、美奈子は思わず叫び声を上げる所だった。看護人の逞しい肩に、みどりがかつぎ上げられているのだ。見違いようもない、みどりのナイトガウンの模様がはっきり分った。薬で眠らされているのか、身動き一つしていない。

美奈子は何も考えずに部屋を飛び出すと、後を追った。きっとまたあの院長だ。みどりを手ごめにする気なんだ。放ってはおけない。何としても助けてあげなくては。心を決めて、美奈子は階段を降りて行った。足音がするので、スリッパを脱ぎ、靴下になる。白衣の二人と、みどりをかついだ看護人は、廊下を事務棟の方へと進んで行った。どこへ行くんだろう？　外へ連れ出すのだろうか。そうなったらお終いだ。

だが三人は途中から脇の廊下へ折れた。急いで曲り角まで行って覗き込んだ美奈子は、自分の目が信じられなかった。そこにはコーラの自動販売機が据え付けてあるのだが、それが、まるでドアのように開いて、裏側の壁に、ぽっかりと入口が開いている。そこへ三人はみどりを運び込んで行く所だった。秘密の部屋。一体何がそこで行われているのか。無謀を承知で、美奈子はそこへ駆け寄ると、壁に開いた入口から、そっと中を覗き込んだ。階段が地下へ降りている。みんな降りてしまったようだ。階段が途中で左へ折れているので、下までは見えなかった。また上って来るだろうか、と考えていると、急にコーラの販売機が動き出して、入口を閉じようとした。電動で下で操作しているのだろう。先の事など考えもせず、反射的に美奈子は中へ飛び込んだ。背後で、ぴたりと入口が塞がった。

もう引き返せない。美奈子は覚悟を決めて、そっと階段を降りて行った。

階段を降りると細い通路が左右へ走っている。左へ行くと頑丈そうな鉄の扉に突き当る。右へ行くと、普通のドアがあり、今、少し開いたままになって話し声が響いて来る。危険すぎるのは承知の上で、美奈子は声のする方へ進んで行った。ドアの所まで来ると、壁へぴったり身を寄せ、息を殺して、そっとわずかに隙間から顔を覗かせた。

ちょっとした教室ほどもある、広いがらんとした部屋で、天井も壁もコンクリートがむき出しのままだが、床だけは上と同じリノリウムだ。その床の中央に、一辺が四、五メートルのカーペットが敷いてあり、その上に、ナイトガウン姿のみどりが横たえられていた。そのみどりを取り囲んで立っているのは、青木院長、中田晶子、看護人の三人だった。

「三パーセントくらいからにしましょうよ」

中田晶子が言った。

「いや、大丈夫さ、七パーセントで行こう」

青木院長が答えた。

「無茶よ！」

中田晶子が叫んだ。

「なに、平気さ。この娘は丈夫だからな」

「それにしても」

「少しずつ量をふやしていく暇はないんだ。そうだろう？」

「ええ……」

中田晶子が渋々肯いた。「でも、お嬢さんがみえてからにしましょうよ」

「何を遠慮しているんだ！　あの女が何だっていうんだ、小生意気な事ばかり言いやがって。何もそんなにへいこらする必要があるかい！」

青木はよほど面白くないようだった。中田晶子はからかうように、

「あなたは、この間、あの娘をものにしそこねたんで怒ってるんでしょう」

「当り前さ、畜生！　もう少しってとこだったのに、邪魔しやがって」

自分の事だと美奈子は思った。では、「お嬢さん」というのは、峯岸紀子のことに違いない。

「俺に任せろ、大丈夫さ。おい、仕度しよう」

　青木は、部屋の奥にある、ガラスのケースの方へ行くと、ケースを開けて、注射器を取り出した。他の二人もついて行って、足下の段ボール箱から、紙包みを取り出し、包みを破り始めた。

　美奈子は事情が呑み込めた。人体実験だ。密輸入した薬の効き目を調べるために、こうして患者の中から誰かを選んで実験台にしているのだ。激しい怒りがこみ上げて来た。しかし今、出て行くわけには行かない。何とかみどりを助け出す手はないだろうか？

　あのブローチ！　今なら絶好の現場が押えられるのに。しかしブローチは部屋へ置いて来てしまったのだ。美奈子は三人がみんなこちらへ背を向けているのに気付いた。ともかく少しでも近付かなくては。入口に近い壁の一隅に、空の段ボールが積み上げてあった。壁との間に、いくらか隙間がある。美奈子は、ドアを少し押し開けて、素早く部屋へ滑り込むと、壁際を走って、段ボールの後へ身を隠した。

「さて溶液は？」

　青木が訊いた。

「七パーセントよ」

「よし」

「本当に大丈夫？」

「任せておけよ」

青木は小皿に溶かした溶液を注射器に吸い上げると、針を上へ向け、泡を押し出した。

「効き目はどうかな」

楽しむような口調だった。美奈子は必死で何か手立てはないかと考えたが、相手が三人ではどうにもならない。

看護人がみどりのナイトガウンを脱がせると、青木がかがみ込んで、パジャマの腕をまくり上げ、無造作に針を刺した。美奈子は思わず目をそむけた。

「さて、ゆっくり見物しようや」

青木が立ち上がった。その時、足音がして、峯岸紀子が入って来た。相変らずの白衣姿だ。

「やあ、今射った所です」

青木が言った。

「なぜ待たなかったの！」

鋭く紀子が詰問した。

「俺だってもう慣れてますよ。信用してもらいたいですね」

紀子は、みどりを見て、

「濃度は？　二パーセント？　三パーセント？」

「七パーセントです」

「何ですって！」

「平気ですよ。いつもそれ位までは試してる」

「これは初めてで、しかも適量も分らないのよ！」

「ちょっと多めでも、死にやしない、大丈夫ですよ」

「前に死なせたじゃないの」

青木が渋い顔になった。

「あれは……特異体質のせいです」

「薄めたんでしょうね」

紀子が訊いた。

中田晶子が肯いて、

「ですから、七パーセントに……」

「そうじゃないわ。あれは濃縮液なのよ」

中田晶子が真っ青になった。

「私……気が付きませんでした……」

「何ですって！　包みに赤いマークがついてたのを見なかったの？」

中田晶子がガラスケースの前へ飛んで行って、開いた包みをひっくり返した。

「……どうしましょう。……裏返して包みを開けたので……つい……」

「十倍の濃縮液なのよ！」

紀子が叫んだ。「まず十倍に薄めて、それから溶液を作らなくちゃいけないのに……」

さすがの青木も、顔をこわばらせて、

「すると……七〇パーセントの液を射った事になる……」

「死ぬわ！」

中田晶子がヒステリックに叫んだ。

みんな一斉に押し黙った。みどりが、呻き始めたのだ。身体を激しく震わせて、顔は血を浴びたように紅潮し、目をカッと見開いている。

「何とかならないの？」

紀子が鋭い口調で訊いた。

「手遅れだ！」

青木が呟いた。

突然、みどりがガバッと起き上がって、叫び声を上げた。人間のものとは思えない。凄絶な声だ。それがコンクリートの部屋へ反響した。

美奈子は悪夢のような光景を見た。いきなり立ち上がったみどりが、走り出したのである。それはとうてい現実とは思えなかった。まるでドタバタ喜劇にありそうな場面だった。みどりは、がむしゃらに正面へ突進し、コンクリートの壁に真正面からぶつかった。一瞬、よろけたみどりはまた叫び声を上げながら、別の方向へ走り出した。

「止めろ！」

青木が叫んだ。

屈強な看護人が、みどりを受け止めようと立ちはだかった。しかし——何という事だ！　みどりは看護人を人形のように突き飛ばしてしまった。そしてまた壁へ激突した。

美奈子は叫び出したい思いを、必死にこらえていた。「やめて……やめて……」と口の中で呟き続けた。

三度、四度、みどりは壁へぶつかって、なおも何かから逃れようとでもするように、走りつづけた。額が割れ、鮮血が無数に筋をひいて、顔を走っている。凄惨な光景に、誰一人動くこともできない。

「やめて！」

中田晶子が叫んだ。

「そこはだめだ！　そこは……」

青木が大声を上げる。みどりが、ガラスケースの方へ走り出したのだ。看護人が足へ組みつこうと飛び出した。しかし一瞬の差で、その手は空をつかんでいた。みどりは一直線に、ケースへ向かって走った。一直線に……美奈子は目を覆った。ガラスの砕ける音が部屋中に反響した。みどりの叫び声は、低い呻き声に変って、消えた。

恐ろしい静寂が来た。美奈子は目を開けるのが怖かった。

「——もうだめね」

紀子が言った。

「死んでます」

青木が呟くように言った。

美奈子は、そろそろと目を開いた。

みどりは、ガラスのケースに、ほとんど肩まで突っ込んでいた。鋭いガラスの破片が、喉を切り裂いたのだろう。壁に、血が一面に飛び散り、床は大きな血溜りができていた。白地に動物の漫画をあしらったパジャマが、今は血を吸って真紅だった。

「後はあなたに任せるわよ。私はこれから軽井沢へ出かけなくちゃいけないから」

青木は、蒼白になって、じっと立ちすくんでいた。紀子が出ていくと、中田晶子も慌てて後を追った。青木はしばし呆然としていたが、やがて看護人の方を向くと、

「他の連中を呼んで来よう」

と震える声で言った。

青木と看護人が逃げるように出て行って、美奈子は、みどりの死体と共に取り残された。逃げ出さなければ。今出なければ、チャンスはない。ここを片付けに来れば発見されてしまうだろう。しっかりしなくては。さあ！

震える足を踏みしめて、美奈子は、段ボールの陰から出ると、しばらく、もう動かなくなったみどりの方へじっと視線を投げた。そして廊下へ出ると一気に階段を駆け上がる。入口は開いたままになっていた。

どこをどう通ったのか分らない。自分の部屋へ飛び込んだ美奈子は、もう、何をする

気力も失せて、ベッドへ倒れ込んだ。激しい嗚咽《おえつ》が肩を震わせて、いつまでも続いた。

4

すでに陽は高く、図書室には、本を読むよりも日なたで居眠りをする年寄りたちが大勢いた。

美奈子は、ソファに体を沈めて、機械的に雑誌のページをめくっていた。何も頭に入らなかった。一睡もせず泣き明かしたので、腫《は》れぼったい目をしている。朝食も、ほとんど喉を通らなかったが、怪しまれてはいけない、と自分を励まして必死に食べた。

美奈子は隣の空のソファをじっと見た。――みどりはもういないのだ。

患者の間に、みどりの病状が悪くなって、保護棟へ移されたという噂が流れていた。中田晶子がわざと偽の情報を流しているのだろう。そうじゃない、みどりさんは死んだのよ、殺されたのよ、と大声で叫びたかったが、今はまだ早い、と自分に言い聞かせた。

昨夜、気を取り直してから、美奈子は、よほど、ブローチで信号を発信しようかと思った。地下室の存在と、血痕があれば立派な証拠になる。しかし、思い直した。紀子が軽井沢へ出かけると言っていたからだ。自分がいない間に、ここが手入れされたと知れば、紀子は姿をくらましてしまうかもしれない。そんな事をさせるものかと美奈子は思った。ここで、目の前で紀子が逮捕されるのを見てやるのだ、と決心した。みどりの死への、せめてもの償いだ……。

「兼子さん」

誰かの声がした。兼子。誰を呼んでいるんだろう。

「兼子さん。奥村さん」

声が近付いて来る。一体どうして誰も返事しないんだろう。奥村——奥村兼子——。

「はい！」

忘れていた。昨夜のショックで、すっかり注意力を失っていたのだ。慌てて立ち上がる。

「どうかしたの？」

中田晶子が、けげんな表情で、美奈子の顔を覗き込んだ。

「いいえ——何でもありません。つい、考え事をしていて……」

「そう？　でも顔色が少し悪いわ。お部屋で休んでいらっしゃい」

「大丈夫です。何か？」

「いいえ、ちょっと書類の事で聞こうと思って。急がないから、いいのよ。本当に少し横になった方がいいわ」

「ええ……」

美奈子は、言われる通りにした方がいい、と思った。「じゃ、少し休んで来ます」

「そうしなさい」

中田晶子は、美奈子が図書室を出て行くのを見送った。一抹《いちまつ》の不安が中田晶子の胸をよぎる。どうも様子が変だ。昨夜、彼女と仲の良かった西尾みどりが、あんな死に方をして、今日の奥村兼子の様子がおかしい。ただの偶然だろうか。もちろん、そうだ。そうに決まっている。しかし、兼子は、みどりがどうしたのか、どこへ行ったのか、どんな具合か、訊こうともしなかった。

他にも中田晶子の気にかかっている事があった。二、三日前、患者の誰かが、保護棟へ近づいたらしいと、看護人の一人が報告して来たのだ。雪に足跡が残っていたという。誰だろう。患者の大部分は大人しくて、妙な好奇心を起こしたりする者はいないはずだった。それとこれとは何の関係もあるまいが、何となく、中田晶子の心に、ひっかかっているのだった。

「あのお嬢さんは……」

背後の声に振り向くと、古ぼけた週刊誌を手にした老婆が立っている。

「誰を捜しているんです？」

「いえ……つい今しがた、ここに坐っていた……」

「兼子さんなら、気分が悪くて部屋へ行ってますよ」

「そうですか……。ねえ、やっぱりそうだったんですよ！」

「何の話ですの？」中田晶子は愛想よく訊き返した。

「あのお嬢さん、どこかでお会いした、と思ってたんです」

老婆は熱心に言った。「そしたら、やっぱり、ほら！　ここに出てますわ。私って物憶えがいいでしょう？　確かにどこかで見かけたと思ったんです！」

老婆が得意気に差し出したのは、もう三年も前の女性週刊誌だった。すっかりぼろぼろになっている。〈一流大学の首席卒業者たち〉というタイトルのグラビアが載っていて、なるほど、彼女の写真もある。髪形などが変っているが、間違いないようだ。しかし――中田晶子はおや、と思った。名前が違っている。奥村兼子ではない。牧美奈子となっている。牧美奈子。聞いた事のある名だ。どこで見たのだろう。中田晶子は、仕事柄、名前の憶えはいい方である。――最近だ。それも何か紀子さんに関係があった様な気がする。週刊誌か……。そうだ。週刊誌に出ていた記事。〈『森の館殺人事件』容疑者の婚約者〉――これが、保護棟にいる男の婚約者か、と思った。牧美奈子。間違いない！

中田晶子は、びっくりしている老婆に目もくれず、図書室から走り出ると、事務棟へ急いだ。紀子さんに電話しなくては！　大変な事になった。私室へ入ると、急いで受話器を外し、震える指でダイヤルを回した。

紀子は、療養所へ戻るベンツの中だった。徹夜で仕事の話をして来たのだが、眠くはなかった。昨夜の、あの娘の凄惨な死に様が、思い出されてならなかった。

「マクベスは眠りを殺した。もう眠れん……」

「何です？」

運転手が訊いた。

「何でもないのよ」

紀子は、自分の手も、もうずいぶん血にまみれた、と思った。その事自体は別に彼女を悩ませはしなかった。父のため、と思えば、何でも平気でやってのけた。ずっと昔から、そうなのだ。紀子が気がかりなのは、その父から、さっぱり音信が絶えている事だった。むろん、飛行機事故で死んだ事になっており、身を隠さねばならないのは分るが、それにしても、ここ何カ月か、手紙一つ、電話一つないのだ。以前には、こんな事はなかった。父の身に何かあったのだろうか。そう思うと、紀子は子供のように、不安に捉えられた。近々フランスへ行く決心だった。しかし、雅子の事もあり、今、日本を離れる訳には行かない。

雅子といえば、修一の事も決めなければならなかった。修一をどうするか。今は起きられないが、やがて足が治った時、どうすればいいか。自分が殺人犯として手配されていると知ったら、彼はどう出るだろう。

少なくとも自由にしてやる訳にはいかないのだ。できれば紀子は修一をこの組織に加えたいと思っていた。そうすれば、殺さずにすむ……。殺す？　初めから、殺すつもりなら、治療などしない。

紀子は修一を生かしておきたかったのだ。理由など、考えた事もない。ともかく、それを決めるのは、まだ先だ。ゆったりシートへもたれた時、無線電話が鳴った。

「——お嬢様にです」

運転手から受話器を受け取る。

「はい。——ああ、晶子、どうしたの？」

中田晶子の興奮した声が紀子の耳へ飛び込んで来た。


「どうするんです？」

青木の問いに、紀子はじっと考え込んだまま、答えなかった。青木と中田晶子も、青ざめ、怯えていた。昨夜、西尾みどりを死なせたショックに続いて、思いもかけない危機である。あれほど悪しざまに言いながら、青木も、今は紀子に頼り切っていた。

「もしあの娘が、ただ婚約者を捜しに来ただけなら……」

中田晶子が言いかけた。

「それは考えられないわ。あの父親の身元だって、財産だって、ちゃんと私たちは調査してあったのよ。あれだけの準備をするには、よほど、組織立った力が必要よ」

「——警察」

青木が呟いた。

「それ以外、考えられないわ」

「じゃ、私たちはどうすれば……」

中田晶子は泣き出さんばかりだった。

「まず、ここはすでに警察に疑われているという事実があるわ」

紀子は、しっかりした声で言った。

「今日、明日にも手入れを受けるという事はまずないでしょうけど、しかし備えておかなければね。晶子、あなたは地下の在庫をすべて運び出し、他へ移して」

「はい」

「ここはおそらく監視されているでしょう。それを忘れないで。それから、倉庫は何の痕跡も残らないよう、完全に清掃して、他の何でもいいから、荷物を入れておく事。入口のコーラ販売機もどけて、入口が見えるようにしておくのよ。秘密でも何でもない、と知らせるようにね」

「分りました」

中田晶子は、やや安心した様子で答えた。大丈夫だわ、お嬢さんが指揮を取って下さっている限り、絶対に大丈夫。

「青木さんは地下室を片付けて、器具も一切処分する事。血痕も洗い流しただけでしょう。検出されないように、もう一度薬品で処理しなさい」

「はい」

「全療養所内に、薬の一滴、一粒でも残っていたら、私たちはおしまいよ。あなたの責任で完全に処置する事」

「はい」

青木は肯いて、「あの……実験室は、後どうしましょう？」

「そうね……」

紀子は考えて、

「裏の倉庫に、体操用のマットや器具があったわね。あれを出して来て体育場ということにしましょう。晶子、至急、〈体育場〉のプレートを作って、入口の脇に貼っておいて」

青木は舌を巻いた。大した女だ。

「あの兼子――いえ、牧美奈子という娘、どうしましょう？」

中田晶子が訊いた。

「どの程度知ってるのかしら」

「どうも今日の様子がおかしいんです」

中田晶子は首をひねって、「西尾みどりがいなくなったのに、捜そうともしないんです。まるでいない事を知っているようでした」

青木が言った。

「薬でぼけさせちまいましょうか？」

「調べて薬が検出されたら、どうなるの？」

青木は口をつぐんだ。

「仕方ないわね」

紀子は言った。「今夜、部屋で事故死する事にしましょう」


疲労のせいか、夕方から眠ってしまって、美奈子が目を覚したのは、もう夕食時間を過ぎてしまっていた。食欲もなかった。ベッドへ起き上がって、重い頭をしばらくかかえ込んでいた。

紀子は戻って来ただろうか。戻って来たのを確かめたら、上西たちへ信号を送る。ここも今日でお終いだ。修一さんだって、きっとここのどこかにいるのだ。そう思うと、美奈子は力が湧き上がって来るのを感じた。

ブローチを襟から外して、テーブルへ置くと、洗面所へ行って、顔を洗った。何度も何度も冷たい水を顔に浴びせると、少しずつ頭がすっきりして来る。大きく息をついて、手さぐりでタオルを取り、顔を拭って、鏡を見た。

——背後に、二人の看護人が立っていた。

美奈子は、死んだと思った。どうにもならなかった。看護人の一人が美奈子の腕をねじり上げ、口に布を押し込んで、ベッドへ押し倒した。

青木が冷ややかに言った。

「気の毒だが、君には死んでもらうよ」

美奈子は、テーブルの上のブローチを見た。すぐそこなのに……。

もう一人の看護人が、風呂の浴槽に、湯を入れはじめる。

「君は浴槽の中で足を滑らせて頭を打ち、気を失って、溺死する。よくある事故だ」

何か手だてはないだろうか。必死に美奈子は考えた。

「湯が一杯になったら、君の最期だ。覚悟しておくんだね」

こんな所で死ぬのか。修一に、ついに会わずに。

「君を殺すのは、僕も残念なんだが……」

美奈子は、最後の可能性に賭けてみよう、と思った。必死にもがいて、声を出そうとする。

「何か言いたいかね？　よし、話させてやれ。叫んだって、誰も気にしやしない」

「いいんですか？」

「大丈夫さ」

看護人が口の中につめこんだ布を取り出すと、美奈子は、泣き出しそうな声で哀願した。

「お願い！　死にたくないわ、助けて！　殺さないで！　いやよ、いやよ」

「悪いが、そうは行かないんだ」

「何でもします！　どんな事でも！　好きにしていいわ。だから、助けて！」

青木の顔に、ずるそうな笑みが浮かんだ。

「そうか。——そんなに助かりたいんだね」

「ええ！」

「何でもする、言う通りになるのか」

「ええ、何でも！」

「なら、考えてやってもいい」

「院長！」

看護人がとがめるように言った。

「ま、いいさ」

青木はちょっとウインクしてみせると、「このお嬢さんは、我々三人にその身体を捧げたいと言ってるんだ。そうだろう？」

美奈子は黙って肯いた。青木と二人の看護人が、目配せし合うのが分った。むろん楽しんでから殺すつもりなのだ。

「よし、放してやる。暴れるなよ」

「ええ、大人しくするわ」

看護人が手を放すと、美奈子はよろよろと立ち上がった。

「じゃ、そこで服を脱いでもらおうか」

青木が愉快そうに言った。

三人の視線を浴びながら、美奈子は部屋の中央に立った。勇気を出さなくては。こうする以外に仕方がないのだ……。

美奈子はセーターを脱ぐと、傍のテーブルのブローチの上へかぶせるように置いて、手探りでブローチを捜し当てると、突起を押した。――大きく息をつく。祈るような気持だった。どうか、早く来てくれますように。

「おい、早くしろよ」

看護人が声をかける。

「ええ……」

美奈子は、のろのろと服を脱いで行った。一枚一枚、どう時間をかけても、大した事はなかった。やがて、全部脱ぎ終えて、美奈子は震えながら、立ちすくんだ。男たちの目が、自分の体をなめ回すように見ている。ああ、神様、と美奈子は呟いた。

「誰からやる？」

「院長、あんたからやりなよ」

「手伝ってやるぜ」

美奈子はいきなり看護人の荒々しい手につかまって、ベッドへ投げ出された。手足を抑えつけられ、どうにも抵抗できない。もうだめだ、と思った。青木がのしかかって来た。

その時、ドアが開いて、中田晶子が飛び込んで来た。

「院長！　警察が！」

青木が愕然とした。こんなに早く、まだ地下も何も手をつけていないというのに。二人の看護人がはっと手をゆるめる。美奈子は夢中で、手を振り切ってベッドから飛び降りると、青木と中田晶子を突き飛ばして裸のまま部屋を走り出た。

「つかまえろ！」

美奈子は階段を飛ぶように駆け降りた。廊下を玄関の方へ走ろうとして向こうから看護人の来るのが見えた。美奈子を見て、一瞬あっけに取られている。表だ。表へ出よう。

美奈子は食堂へ飛び込み、台所の裏口から、庭へ飛び出した。凍りつくような寒さも、何も感じなかった。林を抜ければ門の所まで行ける。青木たちは追って来ない様だった。逃げ切れる。必死に芝生を駆けながら、そう思った。その時、二階から青木の叫ぶ声がした。

「かかれ！　かかれ！」

はっと振り向くと、あの黒い犬が猛然と追って来るのが目に入った。夢中で美奈子は駆け出した。だがドーベルマンの足の比ではない。たちまち差をつめた犬は、美奈子目ざして、宙を飛んだ。鋭い牙が美奈子の白いうなじへ正確なライフルのように照準を合わせていた。何か鋭くはじけるような音が、闇を貫き、次いで美奈子は肩に激しい衝撃を受けて転倒した。もうだめだ。喉をかみきられる。美奈子は目をつぶって夢中で手を振り回した。——ふと手を動かすのをやめて、目を開いた。黒い犬は、美奈子の上にのしかかって、ぐったりと動かなかった。頭が半分なくなっていた。何人かが塀から飛び降りて、芝生を走って来た。先頭の一人が拳銃を手にして駆けよって来た。

「大丈夫ですか？　美奈子さんですね」

「ええ、あなたは？」

「片山といいます。遠藤警部の部下です」

片山は上衣を脱ぐと、美奈子に着せてやった。

「さあ、中へ。寒いでしょう」

「あなたが射ったの？　この犬を」

「そうです。危ない所でしたね」

「上西さんたちは？」

「警官隊と一緒に正門から入って来ますよ」

「私、知ってるの！　薬がどこにあるのか。地下に秘密の部屋があるのよ。倉庫もあるわ。女の子が一人殺されたのよ。私の目の前で、殺されたのよ！」

片山に伴われて部屋へ戻る途中、夢中でまくしたてるように美奈子はしゃべり続けた。

階段を上りかけると、刑事たちが療養所の中へ、次々に走り込んで来るのが見えた。

美奈子は安心すると同時に、上衣をはおっただけの自分に気付いて、真赤になって部屋まで走って行った。

「お久しぶりですね」

上西が言った。

「本当に」

紀子が肯いた。

二人は療養所の院長室で、向かい合った。傍に遠藤と、その部下が一人立っている。

「小林さん、というのは本当のお名前ではないんでしょう？」

「上西といいます」

「やはり警察の方？」

「正確には違います。まあ役人のはしくれと思っていて下さい」

すでに真夜中を過ぎていたが、警官隊は鑑識班を加えてどんどん人数を増していた。

上西はポケットから、パイプを取り出して、その感触を楽しむように弄んだ。

「色々、お話を伺わなくてはなりません」

「存じてますわ」

「妹さんはどこにいます？」

「雅子ですか？　私にも分りません。逃げた時に相当お金を持って行きましたから、巧く逃げ回っているんでしょう」

「芳子さんを殺したのは雅子さんですね。それに、東京で起きた三件の殺人事件……」

「何もかもご存知のようね。その通りです。上田さんはここの保護棟にいますわ」

上西が肯いて見せると、遠藤の部下が急いで出て行った。

紀子は、雅子が数年前、下男を殺し、以来地下室へ閉じ込めてあった事、修一が彼女を逃がそうとして、ああいう事態になった事情を説明した。

「よく分りました」

上西は肯いた。「ところで、東京で殺された三人ですが、理由をご存知でしょうか」

「私にも分りません」

「心当りはありませんか?」

「考えてみましたが、何も思いつきませんでした」

上西は一息ついて、

「では、妹さんの事はまた改めて伺いましょう。次は肝心の幻覚剤の密輸ルートについてです」

「あなたはそれを調査していらしたの」

「そうです。例のトラック運転手の殺害事件はただの口実だったんですが、本当に、犯人があそこにいたとは、皮肉なものですね」

「本当に」

紀子が微笑んだ。

「父が手紙に書いて来たことがあります。『大した奴に出会った。私とよく似ていて大物だ。しかし残念ながら、小さな相違がある。その男は敵なのだ』あれはあなたの事でしたのね」

「そうです」

上西は肯いて、「大した人物でした、あなたのお父さんは。大物だった。惜しい人を失ったと、正直思います」

紀子が微笑んで、

「父は死んでいませんのよ。あなたの事だから、それ位ご承知だと思いましたわ」

「飛行機事故ではね」

「ええ。あれは偶然なんです。たまたま乗るのをキャンセルした機が墜落して……」

紀子は、ふと言葉を切って、

「今、事故では、とおっしゃいましてて？」

「ええ」

「何かご存知なのね」

「お父さんは半年以上前に、何者かに射殺されています。死体はセーヌ河に上がり、歯科医が確認しました」

紀子の顔は蒼白だった。

「確かですの？」

「パリ警視庁から知らせて来たのです」

「そんなはずは！　――ずっと連絡があったんですよ！」

「直接の電話がありましたか？」

紀子は答えなかった。

「誰かが、すでにお父さんに取って替っているのです」

上西はゆっくりと言った。「ご存知なかったのですね。そうではないかと思っていました」

紀子が両手に顔を埋めて、深く嘆息した。

ドアが開いて、刑事の一人が顔を出した。

「遠藤警部、県警の人が、お話があるそうですが……」

「分った」

遠藤は急いで出ていった。上西と二人になると、紀子はゆっくり顔を上げた。

「警察へ参りましょう。その前にちょっと化粧を直させていただきたいわ」

上西が肯いて、パイプに目を落とした。

紀子は傍のハンドバッグから、コンパクトと口紅を出した。

「上田さんの容疑はこれで晴れるんでしょうね」

「ええ、あなたの証言もありますしね」

「よかったわ」

紀子は呟くように、「あの婚約者の人も、すてきな女性ね」

「彼を愛しているんですよ」

「そうですわね。……愛のためなら……何でも……」

紀子が口紅のキャップを外して、何かを飲みほすように、口へ入れた。そして二、三度むせ返ると、そのままどっとソファへ倒れた。

上西がかけ寄った。青酸の匂いがした。口紅のケースに入れてあったのだ。もう手の施しようがない。

上西は驚かなかった。自分が、こうなることを望んでいたような気がした。峯岸良三もそう望んだのではなかろうか。遠藤には済まない事をしたが……。

上西は、ドアの傍のコート掛けへ行き、掛けてあった誰かのコートを持って来ると、そっと紀子の死体を覆ってやった。

美奈子は部屋へ入って行った。ベッドから修一が微笑みかけている。

「やあ」

美奈子は、そろそろとベッドへ近づいた。何を言っていいか、分らない。

「元気？」

「ああ、足を折っただけさ。他は何ともない。君は大変だったな。悪かったね」

「そんな事……」

「僕が馬鹿だったんだ。君まで危ない目にあわして、本当に済まない」

美奈子は、急に、張りつめていた気持がゆるんで、修一の胸へ身を投げかけた。修一が悲鳴を上げた。

「あいてて！」

「ごめんなさい！　大丈夫？　ねえ」

「大丈夫……大丈夫だよ」

修一は顔をしかめて無理に笑って見せた。美奈子も笑った。笑いながら、涙が後から後からとめどなく溢れて来た。

第四章　宴（うたげ）

1

三月二十六日午前七時十五分

美奈子は時計のベルの音で目を覚ました。結婚式前夜にはきっと一睡もできないだろうと思っていたのに、ぐっすり八時間も眠ってしまった。布団に起き上がると、何となく周囲の様子が違う。そうだ、先週から練馬の叔母の家へ泊めてもらっているのだった。両親も秋田から出て来て、ここに泊っている。修一は、九州から上京した叔父夫婦と、叔父の知人の家へ泊っている。二人がこれまでいたアパートはもう引き払って、新婚旅行から帰ったら今度は、その近くのもう少し広いアパートに新居を構える事になっていた。

それにしても、この数十日間の何と多忙だった事だろう。結婚式場を捜すのも容易ではなかったし、新婚旅行の手配も、丁度シーズンにぶつかるので、難しかった。それでも最上のコースで予約が取れたのは、すべて上西のおかげだった。一体、あの人はどういう人なのだろう。

「こんな呑気な事、しちゃいられないんだわ」

美奈子は口に出して言うと、飛び起きて、天気を見ようと、カーテンを開けた。まぶしさに目がくらんだ。

素晴らしい天気！　美奈子は窓を開けた。つい先週までは冬の風だったのに、この暖かい甘く香る風は、春の息吹そのものだ。美奈子は体中の血が一斉に湧き立つのを感じた。

もう、〈平和園〉の名前もマスコミから忘れられようとしている。しばらくの間、美奈子は新聞、雑誌でスター並みに扱われた。車椅子の修一と二人の写真が、あちこちに載った。美奈子は何かと騒がれるのがいやだったが、おかげで修一はある私立大学に講師の口が見つかって、足が全快し次第、勤めるようになっていたし、美奈子は大学で助手として勤めを続ける事になった。

冒険の日々は終ったのだ。もうこりごりだわ、と美奈子は思った。あの平和園は、正規の事業団体に引き継がれ、変りなく運営されていた。幻覚剤の国内ルートについては、青木と中田晶子の自供から、その全容が明らかにされ、ほとんど根絶やしにされた。薬を買っていた人々については、余りに多くの有力者や夫人を含んでいるため、その氏名は公表されなかった。しかし、このひと月ほど、政府の要職にある人間の、「健康上の理由」による辞職がいつになく多かったのは事実である。けれども、ヨーロッパからのルートは死んだ紀子がほとんど一人で接触していたため、その大部分は未だ解明されていなかった。

何といっても、今、マスコミの最大の関心事は、連続殺人の犯人、峯岸雅子が、当局の必死の捜査にもかかわらず、まだ発見されていない事である。今も狂気の殺人者が、どこかを歩き回っているのかと思うと、美奈子も、ふと不安になる事があったが、結婚式をひかえた今は、そんな思いも自然に忘れて行った。

美奈子は、泊っている二階の寝室を出て、下へ降りて行った。居間ではもう両親が叔母と話をしている。

「おはよう」

と美奈子は声をかけた。

「何ですか、その格好は」

母が眉をひそめた。美奈子はまだパジャマのままだったのだ。

叔母が笑って、

「まあ、いいじゃないの。今日はさんざん窮屈な物を着せられるんだから。何時に出るの？」

「さあ、二時か――いや一時半頃に出ないと……」

「二時間前って言われているからね」

と母。

「式は五時だろう？　じゃもっと早くしなきゃ」

「大丈夫よ」

美奈子はそう言ってから心配そうに、

「でも、お昼食べる時間も考えなきゃね」

「呆れた娘だね」

母が首を振った。

午前八時

修一は、目をさますと、ゆっくり布団の中で体をのばした。長い入院生活で、まだ体の節々が痛むようだ。足の方も、マッサージはまだしばらく続けなくてはならない。

結婚式か。今さら、という気もするが、美奈子にしてみれば、やはり花嫁姿に憧れるらしい。それに互いの家族、親類のこともあるし、ここで一旦区切りをつけるのも悪くあるまい。

それにしても、初めて峯岸家を訪れたあの日から、五カ月。すべてがいまだに信じ難い悪夢のようだ。

時々、修一は考える。紀子は自分の事をどうするつもりだったのだろう。人知れず葬ってしまう事など、彼女にはいともたやすい事であったろうに、なぜ、そうしなかったのか。今となっては、答えを得るすべもないが、何となく修一は、紀子を哀れに思えて仕方ないのだった。彼女は彼女なりに、苦しんでいたのではないだろうか……。

　雅子はまだ見つかっていない。館で三人、東京で三人を殺し、他に、トラックの運転手、以前の下男殺しを加えると、すでに八人殺している事になる。

　その他にも、二月の末、ちょうど平和園がその正体を暴かれて、マスコミが大騒ぎをしていた頃、東京の連れ込み旅館で、学校の教師と旅館の女主人が殺された。凶器は発見されていないが、ナイフらしい傷口などから見て、雅子の犯行かもしれないと警察は考えているようだ。

　彼女は一体どこにいるのだろう。これだけ全国的に手配され、警察が躍起になって捜しているのに、発見できないとは……。死んでいるのだろうか、とも思った。逃げられないと諦めて、自ら命を絶ったのかもしれない。雅子の事が、修一の脳裏を去らなかった。

　修一は起き出して顔を洗った。この家の主人は、叔父の古い友人で、ある会社の重役である。家の方もそれにふさわしく、いささか成金趣味の派手な造りだった。食堂へ行くと、叔父が新聞の株式欄を熱心に見つめていた。

「おはよう、叔父さん」

「ずいぶんと、ごゆっくりだな」

叔父の上田雄三は九州で旅館を経営している。商売柄、朝は早いのである。

「これでも僕としては珍しい早起きなんですよ」

朝食の席に着きながら、修一は言った。

「日の出を見なきゃ、早起きとは言えん」

修一は苦笑した。

「今日はお前、何を着るんだ？」

「式の時に？　タキシードですよ」

「和服にせんのか？」

「キリスト教式ですからね」

「キリストは和服じゃいかんのか」

「無理ですよ」

「ふぅん。キリストってのは何でも平等かと思っとったが、そうでもないのか」

修一は言葉もなかった。

午前八時二十分

もう、こんな時間か。起きなくては。まだ書き上げていない。ゆうべは疲れて、寝てしまった。もう、待つ必要はない。いよいよ今日なのだ。

峯岸雅子は、丸の内にあるビジネスホテルの一室でベッドから起き出すと、窓から外を覗いた。遥か下方の地上は、人影もまばらだった。まだ出勤時間には早いし、それに今日は土曜日だった。

三月二十六日、土曜日。この日を探り出すのに、ずいぶん苦労した。牧美奈子という、修一の婚約者をずっと尾行して、式場を知り、式場へ電話して、案内状をなくしてしまったので、教えてほしいと問合せた。式の日時さえ分れば、後はそれまで警察の手を逃れていればよかった。雅子はタイプライターを買い込み、わざと地味なスーツに角ばった眼鏡をかけて、どこかの秘書という印象を作り上げた。こうすると、二十八歳以下には見えない。そして都内のビジネスホテルを転々とし、日中はほとんど部屋へ閉じこもっていた。食事もルームサービスで取り、食事が運ばれて来た時は、入口に背を向けたまま忙しくタイプを叩いているふりをした。

自分自身も驚くほど、雅子は疲れていた。追われる事で恐怖や圧迫を感じはしなかったが、ここ数日、ひどい疲労を感じていた。どこから来る疲れなのか、自分でも分らなかった。おそらく、不自然な生活そのものが、知らず知らずのうちに疲労を蓄えて行くのだろう。

それも今日で終りだと思うと、嬉しかった。それに、金も、そろそろなくなりかけている。どこかで働くとなると、発見される可能性が強くなるので避けたかった。ちょうどいい時機だ。すべてがうまく運んでいる。式は五時からなので、まだ早すぎる。どうせこのホテルは明日まで借りてあるのだ。

シャワーを浴び、さっぱりして服を着る。そして念のためにスーツケースの底を探って、二本のナイフを取り出し、ベッドの上へ並べてみた。研ぎすまされた刃が、ふと手を触れてみたくなるような、美しい銀色の輝きを放っている。雅子は魅せられたように、じっとその艶やかな肌に見入っていたが、やがてナイフをハンカチにくるみ、ハンドバッグの底へしまった。そして電話で、朝食を頼んだ。

午前十時四十分

「おい、ちょっと」

遠藤が呼んだ。妻の洋子が顔を出した。

「このシャツ、首の所がきついぞ」

「借着なんですから、仕方ありませんよ。あなたがそれでいいとおっしゃったんですよ」

「分ってるよ」

遠藤は先刻から、モーニング相手に苦闘していた。これなら強盗と取っ組み合っている方がまだましだ。

「おい」

「はい」

洋子がうんざりした様子で、「今度は何ですか」

「俺は花嫁の側か花婿の側か、どっちに坐るんだ？」

「花婿さんの方ですよ」

「そうか、残念だな」

「何言ってるんです」

「乾杯の音頭は誰がとるんだ？」

「何とかいう、大学の先生でしょ」

「何を飲むんだろう」

「シャンパンじゃないですか」

「あのサイダーみたいな奴か。ビールにしてくれんかなあ」

「いい加減にして下さいよ」

「ああ。……しかし仲人なんて初めてだからな。アガっちまうよ」

上西に言われて、修一と美奈子の仲人をつとめるはめになったのである。もともとは上西が頼まれたのだが、独身者《ひとりもの》である。そこで遠藤にお鉢が回って来たというわけだ。

「花婿、花嫁の紹介を間違えないようにして下さいね」

「あ、そうだった。原稿はどこだ！　原稿がないぞ、おい！」

「モーニングの内ポケットに、ゆうべしまったでしょう」

「ああ、そうだったな」

やっと何とか形を整えると、

「おい、もうそろそろ十一時だぞ。早く仕度しろよ」

「私はとっくにできていますよ」

洋子は茶の間でお茶を淹れていた。

「何だ。そうならそうと言え」

「まだ早すぎるくらいですよ。あなた、少し落ち着いて」

「落ち着いとるじゃないか」

「そうですか」

遠藤は熱い茶をすすりながら、

「二人の紹介をしたら、もうこっちの役目は終りなんだろうな」

「そうですね。お色直しもついて行かなくていいみたいだし。あちらへ行ってから訊いてみれば分りますよ」

「お色直しはどうせ花嫁だけじゃないか」

「あら、花婿さんだってなさるそうですよ」

遠藤は目を丸くして、

「まさか。冗談だろう?」

「いいえ、本当ですよ。白のタキシードに着替えるんですよ」

「何とね！……男がお色直し、と来た。こんなべらぼうな話ってあるか！」

「あなたが文句を言う事はありませんよ。若い人は大いに楽しんでるんですよ」

遠藤は茶をすすりながら、何度もため息をついては首を振った。電話が鳴って、洋子が立って行った。

「遠藤でございますが。……まあ、これはどうも。ご無沙汰いたしております。……はい、お待ち下さいませ。あなた、上西さんからですよ」

遠藤は受話器を受け取った。

「おはようございます。どちらからですか？……なんだ、式場のホテルにお泊りですか。便利ですなあ。……いや、もう勝手が分らなくて、往生してますよ。……何です？」

遠藤は急に声を低くして、「どうしてです？……分りました」

遠藤が戻って来ると、

「上西さん、何ですって？」

「いや、スピーチの事でね」

「そうですか。……私、ちょっとお隣に留守をお願いして来ますからね」

「ああ」

洋子が出て行くと、遠藤は警視庁へ電話して、部下の巻川刑事を呼び出した。

「ああ、俺だ。悪いが、二人ばかり連れて五時までにホテルPへ出向いて来てくれんか。そうだな、四時半に一階のロビーにいる。……そうだ。それから、俺の拳銃を持って来てくれ。……いや分らん、上西さんがそう言うんだ。……頼む」

遠藤は、刑事の顔に戻って、じっと考え込んでいた。一体何事だろう。

午前十一時十五分

丸の内、皇居を間近に望むホテルPのコーヒーハウスで、上西はフランスパンとコーヒーの遅い朝食を摂っていた。あんな電話でいたずらに遠藤を心配させただろうかと思って一瞬後悔した。上西自身、式場が決まったときには何も心配してはいなかった。しかし昨日この二十五階建のホテルへやって来て、ロビーを行き交う雑多な人々の流れ、従業員たちのおよそ見分けのつかない制服姿などを見ているうちに、ふと、この中に殺人者が紛れ込んでいたら、どうやって発見すればいいだろうか、と思った。昨夜一晩、その不安は、上西の頭の中で、徐々に膨《ふく》らんでいった。そして、その結果の、遠藤への電話なのである。

姿を消した峯岸雅子は、まだ発見されていない。それが上西には気がかりであった。雅子については、修一の記憶を頼りに作ったモンタージュ写真しかないのだから無理もないかもしれないが、といって、これほど世間の注目を浴びた殺人犯を逮捕しなければ、警察としても面目が立つまい。

上西が雅子の事を気にするのには、二つの理由があった。一つは、彼女が殺した人間たちが、彼女とどう関係があったのか、いまだにつかめていない点である。無動機の殺人か？　それにしても東京だけで三人だ。いや旅館での殺人を入れると五人になる。偶発的と思える一つを除いて、他の四人は何らかの形で必ず雅子とつながっているはずだ。

つながりが分らない以上、その目に見えない糸が、残った関係者である、修一と美奈子へつながっていないとは断言できない。つまり二人が危険でないとは言えないのだ。

もう一つの理由は、ナイフである。あの美術工芸品とも言える美しい六本一組のナイフのうち三本は、被害者の体に残っていた。また一本は、芳子が殺された時、紀子が処分してしまったと、修一が聞いている。しかし、これでまだ四本である。残る二本はどうなったのか。

二杯めのコーヒーを飲みながら、上西は、不満の多かった幻覚剤密輸ルートについての捜査を振り返ってみた。国内ルートは確かにほぼ壊滅させた。しかしヨーロッパから薬を送り出していた送り手が見つからない限り、連中はまた新しく日本にルートを作るだろう。そしてそれを買う人間も、後を絶たないに違いない。

判明した限りでは、峯岸良三は、比較的価値の低い古美術品——木彫りの人形、陶器など——に穴をあけ、薬を隠して送っていたらしい。隠すといっても、これは相当に高度な技術を要するわけで、かなりの腕の職人を使っていたようだ。それに峯岸は元来が一流の古美術商であるから、実際に多くの美術品を日本へ正規に送って来ていた。その中に、一つ二つ、薬を忍ばせた品が——これも本物の古美術なのだ——あっても、税関などで発見する事は不可能に近い。何しろ相手は高価な美術品である。もし壊して調べて、中から何も出て来なかったら、責任問題である。しかも買手には政治家や財界の大物がずらりと顔を並べているのだ。——何とも巧妙な方法である。

古美術商としてあれほどの成功を収めていた峯岸が、なぜ幻覚剤の密輸などに手を出したのか、上西にも確かな所は分らなかった。しかし、娘の雅子のあの異常な残忍性などを考えると、やはり父親の良三も先天的に、道徳観念を持ち合せない人間だったのではないか、と思える。上西自身の峯岸良三に関する記憶に照らしても、それは肯ける仮定だった。峯岸良三は徹底して自分の世界に生きたのである。彼にとっては、犯罪は一種の娯楽であり、スポーツのようなものだったのだろう。薬の密輸にしても、それが大金を生むからというよりは、それが違法だから、敢えてやってみたのではないだろうか。

彼は殺された。パリからの報告では、頭を後ろから射ち抜かれていたとの事であった。殺したのが誰にせよ、今は別の人間が峯岸良三の後に坐り、新たな組織を作りつつあるだろう。その男は峯岸ほどの「超犯罪者」ではあるまい。利益をふやすためならどんな汚い仕事でも手がける、ありきたりのギャングにすぎないだろう。上西は、またヨーロッパへ出かけなければならないと思った。自分の役目はまだ終っていないのだ。

午後二時

美奈子と両親を乗せたタクシーが、式場のホテルPへ向けて走り出した。

ちょうどその頃、修一と叔父夫婦の車は途中の交通渋滞に巻き込まれて、のろのろと進んでいた。

遠藤と妻の洋子は、すでにホテルPの玄関を入りつつあった。仲人が一番早くやって来たわけである。

上西はちょうどロビーへ出て来たところだった。披露宴の会場を一度見ておこうと思ったのである。何かあった時には必要かもしれない。ロビーへ入って来る遠藤夫婦を見つけて手を振った。こんなに早く来てどうするんだ、と上西は思わず笑い出した。

午後二時十五分

ペンの走る音だけが聞こえていた。雅子は腕時計を見ると、もう二時か、とため息をついて、手を休めた。文字を書くというのは、何と時間のかかる仕事なのだろう……。

背中が痛くなって、椅子から立ち上がると、窓から外を眺めた。明るい陽光の下、日常の生活が行われていた。こんな平凡な日々は、ほしくもなかった。こせこせと地上を動き回り、這いずり歩く、小さな人間たちは哀れな存在にしか見えなかった。――私の日々は今日で終りなのだ。そう思うとほっとした。この世の中に、もう何の関わりも持たなくて済むのだ。もう何もかもが面倒だった。生きる事さえも。

もうあまり時間がない。書かなくては……。

飲物がほしくなって、電話でカフェオレを注文した。こういう料金はチェック・アウトの時払うことになっているのだ。未払いで終らせるのもいやだから、出る時、テーブルにお金を少し置いて行こう、と思った。

カフェオレが届けられた時、雅子はせっせとタイプライターに向かって、でためににキーを叩いていた。そして、ボーイが行ってしまうと、タイプライターを傍へ押しやって、熱いカフェオレをすすりながら、またペンを取り上げた。

……私は夢想と現実の間で、微妙な平衡を保ちながら生きて来た。父は私が幼い頃から、そんな私の性質を見抜いていた。決して私に、外界へ馴染むよう無理強いはしなかった。それを今でも私は父に感謝している。普通の子供のように、当り前の学校へ行かされ、当り前の薄汚れた子供たちと一緒にされていたら、私はきっとノイローゼになって、病院暮しをしていただろう。

私の事を、父は「ガラスの人形」だと呼んでいた。脆い、脆い、透き通ったガラスの人形だと。その通りかもしれない。私はそんな自分を哀れにも、誇りにも思わない。これは私が生れながらに担《にな》った宿命のようなものである。

誰もが私をそっとしておいてくれたら、ガラスに触れようとする事なくただ眺めるだけに止めておいてくれたら、今、私がこんなものを書く必要もなかったのだ。

十八歳の夏だった。私たち、父と三人姉妹は、軽井沢へ遊びに行って、あるロッジへ泊った。夏も終りに近い頃で、もう寒く感じる日もあったけれども、その時は美しく晴れ上がった日が続き、室内に閉じこもりがちな私もいつになく戸外の冴え冴えとした空気や、緑の香や、鳴き交わす鳥の声を心から楽しんだ。林の間を散策すると、そこここに水の流れが音を立て、枝が足下でパリパリと音を立てた。姉たちは、外へは一向に出たがらず、せっかく軽井沢へ来ているというのに、ロッジの部屋で本を読んだり、トランプをしたりしていた。芳子姉さんは、同宿の男の子と仲良くなって、一日中、下のホールで踊ったり歌ったりして騒いでいた。

私は一人で、時には父と二人で、遥かな木々の広がりの中を歩き回った。芳子姉さんと違って私は大勢で集まって騒いでいるのを見ても、ただ嫌悪感しか抱かなかった。まだ紀子姉さんの方が、私にとっては身近な存在だった。しかし、私から見れば、紀子姉さんも、一種の気取り屋にすぎなかった。実際、紀子姉さんは読んでいる事を自慢する以外の目的で本を読む事はなかった、と私は信じている。

私にとって、文学の世界、そのロマンと空想とは、人生そのものに他ならなかった。現実などというものは、汚《けが》らわしく、醜く、ぞっとするような泥沼で、それには夢もロマンの香もなかった。

けれど現実と関わるのをできる限り拒んで生きていた私の中へ、現実は最も残酷な形でその牙を食い込ませて来たのだ。

その日、私は少し表を歩きすぎたのか、熱を出してしまって、ロッジの部屋で横になっていた。その夜、ロッジに近いあるホテルで、東京から来たオーケストラのコンサートが、七時から開かれる事になっていた。

父も大変それを聴きに行くのを楽しみにしていた。私は一人で寝ているから行ってきて、と言った。父は少し心配そうだったが、私は大丈夫だからと、父を安心させた。実際、大した熱ではなかったのだ。姉たちもむろん一緒である。芳子姉さんはおよそクラシックなどに趣味はないが、ただボーイフレンドたちも行くので、それについて行った。部屋に残った私は少しうとうとしていた。

何時頃だったろうか。酔って大声で怒鳴る男の声が、下から聞こえて来て目を覚ました。私はいらいらして耳をふさぎたくなった。酔っぱらいというものが、不潔で、汚らしくて、我慢できないのだ。父はワインやブランデーを飲んでも、快く酔う程度である。酔って騒いだり、暴れたりする人間を見ると、寒気がして、何キロも先まで駆け出したい、とさえ思うのだった。

その夜、騒いでいた男は、コンサートの切符を手に入れそこねたらしかった。この恒例の、シーズンの終りを告げるコンサートは、いつも満席で、早くから予約しておかなければならないのを、その男は知らなかったらしい。それでロッジの主人に八つ当りしていたのだ。三十分近くもその騒ぎは続いたろうか。ようやく静かになって、私はほっとした。同時に、夜の静寂《しじま》を縫って、かすかにウィンナワルツの調べが聞こえて来た。コンサートの会場がホテルの庭園なので、そこから聞こえて来るのだ。それほど戸外は静かなのである。熱があるのにじっとしていられず、ベッドから起き出して、窓を開けた。冷たい夜気に身震いしたが、音楽はずっと良く聞こえた。ホルンの音が、はっきりと聴き分けられるほどだった。

窓は開けたまま、冷えるのでベッドへ飛び込み、毛布をかぶって、じっと音楽に耳を澄ました。曲は「皇帝円舞曲」から「ウィーンの森の物語」に変っていた。ツィターの入る序奏部は省略されているようだった。父が残念がっているだろうと思った。あのツィターの響きがしないと、ウィーンの情緒がない、と、いつも言っていたから。そうだ、と思った。父さんたちが帰って来たら、私の方から、ツィター抜きで残念だったわね、と言ってやろう。きっとびっくりするだろうな、と思わず毛布の中で笑った。――その時、ドアがパタンと音を立てて開いた。

部屋は明りを消してあり、廊下の明りで逆光になって、入って来たのが男だとしか分らなかった。初め、父が帰って来たのかと思ったが、そうでないことはすぐに分った。何やらぶつぶつ呟いており、ひどく酒の匂いをさせていた。私は驚きを通り越すと腹が立って来た。酔って部屋を間違えたに違いない。さっき下で騒いでいた男だ、と思った。ドアの鍵はきっと芳子姉さんが、最後に部屋を出る時、かけ忘れたのだろう。男はふらふらと、部屋の中へ入ってきた。出ていって、と言おうとしたが、声が出なかった。向こうが気付いて出て行くだろう、と思ってじっとしていた。ベッドは入口から洩れた廊下の明りでいくらか照らされていたからだ。

部屋の中を見回した男は、やっと私に気付いた様子で、「おっ」と短く声を上げると頭をかきながらドアの方へ戻って行った。私はほっとして、毛布を顔の目のあたりまで引っ張り上げ、男が出て行くのを待った。男がドアの所で立ち止まった。長い間、男は何か考えている様子だった。何をしているんだろう、と私は苛立った。何をぐずぐずし男の顔が暗くかげっていたので、私は一瞬、男が振り向いてこっちをじっと見ているのに気がついた。男の顔が暗くかげって見えないのが、いっそう薄気味悪かった。

男がいきなりドアを閉めた。部屋が沈み込むように暗くなった。男はまだそこに立っていた。恐怖を感じた。本能的に危険を覚えた。逃げなさい！　叫びなさい！　声が頭の中で反響した。しかし全身が麻痺したように、全く動くこともできなかった。危険といっても、ただ漠然とした不安にすぎなかった。自分の身に、「何か」が起きる、などとは、考えることさえできなかったのだ。

男が荒々しい息遣いで、ベッドへ近付いて来た。酒臭い息が私を包んで、私は思わず両手で口と鼻を押えた。それが失敗だった。毛布から手を離してしまったのだ。男の手が素早く毛布をはぎ取ってしまった。私はベッドの上で、パジャマ姿で身体を縮めて震えるばかりだった。喉はこわばって、とても声を出すどころではない。男の手が、私の両腕をつかんで押し広げた。

私はもがいた。暴れた。めちゃくちゃに手足をばたつかせた。しかし男の力の敵ではなかった。重い体が私の上にいきなりかぶさって来て、押し潰されるかと思った。息が苦しく、気を失いかけていたようだ。抵抗する力が弱まったのを見て、男は起き上がると、私にまたがり、下腹の上あたりに腰を降ろして、パジャマを脱がせにかかった。私はまだ、これが現実の出来事だとは思えなかった。自分が男の乱暴な手で露《あら》わにされて行く。悪夢だ、と思った。熱のせいで夢を見ているのだ、と思った……。

それからの何十分かは、今なお、私の頬に血を漲《みなぎ》らせ、ペンを持つ手さえ震わせるに充分な、恥辱にまみれた時間だった。男の酒気を帯びた息と、汗臭い体臭と、手のざらついた感触を、ついさっきの事のように憶えている。

けれど、詳しくは書くまい。余りに生々しい記憶を、とうてい文字に綴る事はできない。この夜、ガラスの人形は、粉々に砕かれ、泥靴に踏みにじられた——こう書くだけで、充分だろう。

糸の切れたマリオネットのようにぐったりとベッドに横たわる私を残して、男は服を着て、部屋を出て行った。ちょうど、そこへロッジの主人が廊下を通りかかったらしい。ロッジの主人が、こう言うのが、閉じる直前のドアの隙間からはっきりと聞こえた。

「おや、先生。部屋をお間違えですか」

男が何と答えたかは、ドアが閉じてしまって聞き取れなかった。だが、主人は男を「先生」と呼んだ。それだけは、強く脳裏に刻み込まれていた。

気が付くと、音楽はもう聞こえていなかった。コンサートは終ったのだろう。父たちが帰って来る。私はふらふらと立ち上がり、浴室へ行って、熱い湯のシャワーを全身に浴びた。何度もスポンジ一杯に石けんを泡立たせて体を洗い、ていねいにバスタオルで拭って、新しい下着とパジャマを着た。窓を閉め、ベッドを直して、毛布の中へもぐり込んで、熱っぽい体を震わせた。五分としないうちに、父たちの笑い声が廊下を近づいて来た。

ドアが開き、父が入って来ると、

「お帰りなさい」

と言った。

「眠っていなかったのか」

「さっき目が覚めたのよ」

「大丈夫だったかい？」

私は少し、間を置いてから、答えた。

「ええ、何でもなかったわ」

なぜ父に何も話さなかったのか。おそらく父を悲しませたくなかったからだろうと私は思う。事実を知れば父は、私を一人で残して行った事で自分を責めるだろう。相手を殺してしまうかもしれない。私は父に、そんな風になってほしくなかった。父は私にとって絶対の、神のような存在であってほしかったのだ。

この夜、起こった事は、私という人間そのものを変えてしまった。それをはっきりと知ったのは、あの下男をハサミで刺し殺した時だった。姉たちは、私が嘘をついたと言う。下男は私に何もしようとはしなかったと。そうだったかもしれない。しかし私は、服を裂かれ、肌を露わにされるのを感じた。彼が獣のように襲いかかって来るのを見たのだった。幻覚だったのだろうか。私には今でも分らない。

午後三時三十分

雅子はペンを止めた。時計を見て、急がなくては、と思ったが指が痛んだ。もう書く事はあまりない。少し休もう。

食事を摂ろうか、と迷った。もう食べる機会もあるまい。しかし最後の食事ならば、こんな所では摂りたくない。ホテルPへ行ってからにしよう。では、書き上げてしまおう。

もう書く事はあまりない。下男を殺した私を、父と姉たちは警察へ引き渡そうとはしなかった。人知れず地下室へ閉じ込めて、様子を見ようとしたのだった。地下室は、もともと、父が書庫として使っていた部屋で、書斎に入り切らない本が置いてあったのだ。

地下室へ閉じ込められた何年もの日々は、私の中に、復讐への決意を醸成して行った。あの閉ざされた空間の中で、私は殺意が発酵するのをじっと見守っていたのだ。その機会が来るのを、日一日と待った。一度逃げ出したものの、トラックの運転手を意味なく殺したにとどまった。しかしあの事件は、ためらいもなく人を殺せるという自信を私に与えた。

連れ戻された私に、新しい機会は驚くほどすぐやって来た。あの家庭教師によって、それは実現された。

私の復讐とは何だったか。それは、あの軽井沢のロッジで私を蹂躙《じゅうりん》した男への報復であった。

私が殺した四人の男たち——あの中学校教師もその一人だ——の間に、警察は何の関連も見出せなかったようだ。私を殺人狂と呼び、異常性格と呼ぶのも、無理からぬ事だろう。しかし関連がないわけではない。あの四人は、すべてあの日、あのロッジに宿泊していたのであり、またその客の中で、「先生」と呼ばれ得る人間なのである。

弁護士、作曲家、医師、教師。この中に、私を犯し、私を打ち砕いた男がいたのだ。むろん他の三人は何の罪もない人々だ。それを承知で、私は敢えて四人全部を殺す決意をした。そうしなければ復讐は達せられないのだから、ためらわなかった。それを異常と呼ぶなら、その通りかもしれない。

四人の体にナイフを突き立てる時、私は安息だけを覚えた。綿密に四人の周辺を調査し、下準備を整えるのはとても楽しい仕事だった。自分自身、その仕上りに満足している。

ただ、一時的に嫌疑を逸《そ》らす事ができると思いついて殺した、あの麻薬中毒の娘、そしてうかつにも、現場を目撃されて止むなく殺した旅館の女主人。あの二人については、気の毒だったと思う。そうだ、もう一つ、私があのモンタージュ写真を作った〈北風〉のウェイトレス本人だった事を、警察のために付け加えておこう。

復讐は成った。後は？　そう、後は自分自身に安らぎをもたらすだけだ。ナイフはまだ二本残っている。その一本は私の胸をさやとして収まるだろう。

結局、なぜこんな物を書き遺しておくのか、自分にもよく分らない。私もまだ、いくらか「現実」に関わり合いを持ち、自分を理解してほしいと望んでいるのだろうか。答えを出す暇はもうない。

これ以上書く事はない。これを私は警視庁へあてて投函するつもりだ。これが人の目に触れる時、私は確実に死んでいよう。

そして最後のナイフは、私が愛した、ただ一人の男、上田修一の胸にあるだろう。

2

午後四時二十分

地味なスーツに着替えた上西が、ロビーへ降りて来た。遠藤は着馴れないモーニングにすっかりくたびれた様子で、ソファに腰を降ろしていた。

「やあ、どうだ」

「どうもこうも……。疲れるもんですなあ、仲人ってのは」

「まだ始まってもいないんだぞ」

上西が笑った。

「早いとこ始まって早いとこ終ってほしいですな」

遠藤はやや声を低くして、

「来ましたよ」

と言った。

巻川刑事が、他に二人刑事を連れてロビーへ入って来た。遠藤はしかめっ面になって、

「何だ、あいつは、警察でございますって看板でもさげて歩いてるみたいじゃないか」

巻川刑事がいそいそと近付いて来た。

「遠藤警部、何をすればいいんで?」

「少しは目立たんように気を使え。一目で刑事と分るぞ。上西さん、ホテルに言ってタキシードでも貸してもらいますか?」

上西は微笑んだ。

「君たちなら何を着ていてもすぐ刑事と分るさ。そのままでいい。まさかウェイトレスの格好をする訳にもいくまい」

「私は小学校の学芸会で女の子役をやりましたが」

巻川刑事が真面目な顔で言ったので、一同が思わず吹き出した。

「それでは」

上西がてきぱきとした口調で、

「君たちのうち二人は式場から披露宴会場まで、ともかく新郎新婦と離れんようにしてくれ。目立とうがどうしようが構わん」

「分りました」

「あと一人は会場へ先に行って、中で警戒していてほしい。言うまでもなく、私が心配しているのは峯岸雅子だ。彼女については、モンタージュ写真しか手掛りはない。少しでも似た感じの女性を見たと思ったら、マークしてほしい。幸い、彼女が美人だと言う点では、彼女を見かけた全部の人間の証言が一致している。美人というのは、そうざらにいるもんではない」

三人の刑事がぎごちなく笑った。近来まれな凶悪殺人犯を相手にするのだ。表情がぴんと張りつめて来る。

「それでいいかね」

上西が遠藤へ訊いた。

「ええ。——いいか、相手はナイフの使い方にかけては一流だぞ。美しい娘だからといって、気を許すな」

三人の刑事が肯いた。

「巻川、持ってきてくれたか？」

「はい」

巻川刑事が、かかえていた重そうな紙袋を遠藤へ渡した。拳銃とショルダーホルスターである。

「ちょっと仕度を」

遠藤は紙袋を手に、手近な洗面所へ立っていった。上西は式場と披露宴会場の場所を説明するために、傍の案内図のパネルの方へ、刑事たちを連れていった。

入口の回転ドアを通って峯岸雅子が入って来たのはこの時だった。

上西は、パネルの前に立って、入口の方へ半ば背を向けていた。一目でも見れば上西は目を止めただろうが、雅子はすぐ右へ曲がって、エレベーターの乗り口を捜しに行ってしまったので、上西は全く気付かなかった。

午後四時三十分

花嫁は着付室で、一人、坐っていた。四畳半ばかりの和室で、すでにウェディングドレスを着て、手にブーケを持ち、後は式を待つばかりだった。美奈子は、小さなスツールに腰を降ろして、ぼんやりと新婚旅行の夢を追っていた。修一の足がまだ完全でないので、余り遠くへは行けない。相談して結局八丈島へ行く事にした。こんな天気なら、八丈島はもうかなり暑いだろう。もっと薄手のものを用意した方がよかったかな、と思った。

ドアがノックされた。

「はい」

ドアが開くと、もうタキシードの襟元に白いバラをさした修一の顔が覗いた。

「あら、何よ。こんな所へ来ちゃだめでしょ」

「どんな風かと思ってね」

修一は美奈子のウェディング姿をじっと眺め、「——素敵だよ」

「なんだか自分じゃないみたい」

「でも男には見えないぜ」

「馬鹿」

美奈子は修一をにらみつけた。

「ところで、ちょっと心配なんだがね」

「なに？」

「浅倉先生さ。分ってるんだろうね、今日の事」

「返事はあったんでしょ」

「奥さんが出してるのさ、どうせ。あの先生、自分の式だって忘れちまいそうだからなあ」

「そうね」

美奈子も本気で心配していた。「電話してみたら？」

「そうするか。エスカレーターのところにあったな。じゃ、後で」

修一は美奈子にちょっとウインクして見せて、出て行った。

雅子は、ほんの数メートル先のドアが開いて修一が出て来るのを見て、足を止めた。

タキシードが長身によく似合う。不意に胸がしめつけられて、息苦しくなった。修一は、彼女に気付かず、急ぎ足で背を向けて歩いて行った。雅子は、今まで一緒にいた訳でもないのに、急に一人取り残されたような寂しさに身震いした。走って、追いすがりたい、という衝動に駆られた。

エレベーターで、最上階のレストランへ上る途中、式場のある階を見ておこうという気になって、エレベーターを降りたのである。

修一はどんどん先へ行ってしまう。雅子は騒ぐ思いを抑えて、普通の足取りで歩いて行った。修一が出て来た部屋のドアを見ると、

〈新婦着付室〉

とあった。ここに牧美奈子がいるのだ。

美奈子という娘の人柄を知ったのは、この式場を調べるために尾行してみての事だった。雅子でも好感を持たずにはいられないような娘だ。ひたむきに、情熱的に生きている事が、よく分った。修一が彼女を愛するのも当然だろう、と思った。悲しませたくはないが、仕方ない。まだ彼女も若く、美しい。幸福になるために充分な未来があるのだ。私とは違って、と雅子は付け加えた。

廊下を進んで行くと、エスカレーターの昇り口のちょっとしたロビーで、修一が電話をしているのが見えた。

修一は彼女に背を向けて、片隅の赤電話に向かっている。修一の声が聞こえる。

「……もしもし浅倉先生を。……そう、仏文の浅倉先生です。……こちらは上田です」

ふと、雅子は今やってしまおうか、と思った。周囲には人影がなく、邪魔される心配はない。宴席では、多くの人がいる。怪しまれないまでも、殺しそこねる事はあるかもしれない。しかしここなら、修一を刺し、自分を刺す余裕が充分にある。しかも修一は雅子に背中を向けているのだ。どうしようか？　今か。後か。雅子は一瞬迷って、それから、早い方がいいと決心した。ハンドバッグを開けて、ナイフの包みを探った。

「……先生、もう出られましたか？」

修一の話は続いている。「……ええ？　困るなあ。式は五時からですよ。至急来られるように伝えて下さい。披露宴では先生に乾杯の音頭を取っていただく事になってるんですから……」

雅子はバッグの中でナイフの一本を手に取った。ゆっくりと、修一の背後に近付く。

「……そうです。場所はホテルＰ……」

修一は電話の方を向いて、全く気付かない。雅子は彼の背中へじっと視線を向けた。

エスカレーターを上って来る人声が聞こえた。雅子は、素早く修一に背を向け、傍の引出物の見本を並べたガラスのケースを覗き込むふりをした。上って来たのは、礼装をした五、六人の中年の男女だった。どこかの結婚式の客なのだろう。ロビーのソファへどっかり腰を降ろすと、あれこれ、親類の噂話などを始めた。雅子は、そっと唇をかんだ。

「……ええ、五時から式で、式にも出ていただくようにお願いしてあります。では、よろしく」

修一の電話が終った。雅子は急いで昇りのエスカレーターへ乗った。今見られてはまずい。静かに運ばれて行きながら、雅子は、ため息を洩らした。好機を逸した悔しさよりも、むしろそれは安堵のため息のようだった。

考えていた通り、上のレストランで、食事をしよう。最後の食事を……。

雅子がエスカレーターで上って行くのと入れ違いに、巻川ともう一人の刑事が、下から上って来た。

午後五時三十分

遅番のウェイトレス、南明子は従業員控室のドアを恐る恐る開けて顔を覗かせ、誰もいないのを見てほっとすると、急いで部屋へ入った。また三十分も遅刻だ。主任に見つかったら大変！　全くあの主任と来たら五分でも遅れるとガミガミロやかましいんだから。そのくせ、ちょっと可愛い娘だと、ニヤつくくせに。

慌ててロッカールームへ飛び込む。明子の恋人はバーのウェイターで、やはり夜の勤務なので、どうしても昼間からカーテンを閉めて、愛し合うことになり、その結果、いつも少し度を過ごして、その結果、寝過ごすのである。

さて早く早く。明子はワンピースを脱いでロッカーを開けた。

「あれ！」

制服がない！　何度見直しても、自分のロッカーに間違いない。

「どうしちゃったんだろう……」

鍵のかかっていないロッカーを次々に開けてみたが、ついに見つからないのだ。

「困ったなあ……」

制服をなくしたなどと知れたら、即刻クビだ。今にも泣き出しそうな顔で、明子は途方にくれていた。

3

午後六時五分

「みなさま、大変お待たせいたしました」

司会者のいささかあがっている声が、マイクを通して、会場に流れた。ざわざわと話を交していた客たちが、一斉に静まり返る。

「新郎新婦が入場いたします！　皆様、絶大なる拍手でお迎え下さい！」

上ずった声も、最後の方は拍手でよく聞こえなかった。結婚行進曲が流れる中、遠藤夫妻に付き添われて修一と美奈子が腕を組んで、静かに入場して来た。タキシードの修一、ウェディングドレスの美奈子、二人とも何とも神妙な面持ちである。

拍手の中をゆっくりと歩く二人は、頬を上気させ、じっと前方を見つめていた。

会場の配置は丸テーブルが六つで、一卓が八人ずつ。正面の金びょうぶの前が新郎新婦と仲人夫妻の席であった。テーブルの間を、ひとわたり回って、二人はやっと正面に着いた。遠藤と洋子夫人がその両側に並んで立つ。

上西は思わず吹き出しそうになった。遠藤ときたら、正にこの世に神も仏もないのか、といった情ない顔つきをしている。

司会者に促されて、遠藤が震える手でメモを取り出し、新郎新婦の紹介を始めた。

「えー……新郎の上田新郎君は……」

どっと笑いが起こる。遠藤は赤くなったり青くなったりしながら、咳払いをして、初めからやり直した。美奈子もうつむいて、必死に吹き出すのをこらえている。

上西は会場を見渡した。客については問題なかった。受付をやった両方の友人、親類に、全員確認してもらっている。従業員についても、ボーイ長に言って、全部、顔を知っている者ばかりで、新顔の者などはいない事を確かめた。

危険があるとすれば、会場よりも、廊下だろうと思った。式も写真撮影も無事に終った。後はお色直しで席を立つ時だ。廊下に潜んで途中を襲うのは、決して難しくない。今日だけで、このホテルでは十数組の結婚式が行われるのだ。その客の数は相当なものになる。その一人を装ってロビーを歩いていても、誰も見とがめる者のあろうはずはないのだ。

今、巻川ともう一人の刑事が、廊下に待機している。会場の中にも、目立たないように、隅の方にもう一人の刑事が見張っている。しかし、これで万全だとは上西は考えていなかった。峯岸雅子は、あれだけの殺人を重ねながら、いまだに警察の手を逃れているのだ。警戒の眼をくぐり抜けて来る事も考えられないわけではない。少なくとも自分の目の届く所に新郎新婦がいる限り、一瞬たりとも気を緩めまい、と上西は思った。

ハラハラさせながら、何とか新郎新婦の紹介は終った。遠藤は席について額の汗を拭った。

次いで主賓として、修一の方からは高校時代の恩師が祝辞を述べ、美奈子の方からは上西が立った。

「ご指名にあずかりました上西です。実は、私は新郎新婦ともに、ごく最近知り合ったわけで、それも極めて限られた方面での事だったのでありますが、それにもかかわらず、こうして新婦側の主賓としてお祝いを述べさせていただくのは、大変光栄に存じております。さて、皆様もご承知の通り、このお二人は、ごく最近、大変に苦しい体験をくぐり抜けて参りました。それはもうご説明申し上げるまでもない、皆様も大変よくご存知のあの事件であります。このような席にそんな話を、と眉をひそめる向きもおありかと存じますが、やはり私としてはそれを抜きにしてはお二人を語れませんし、また、愛の勝利の記録として、この席で語られるのは真に正当な事だと思うのであります。……」

上西が、簡潔に事件を要約して話しているのを聞いて、ボーイの一人が隣の仲間をそっとひじでつついた。

「おい、あれが例の大冒険やらかした女だってさ」

「うん？　ああ……」

気のない返事をした相手は坂本といって、この仕事についてまだ半年もたたない新米のボーイだった。今日は照明のスイッチを入れたり切ったりする役だったが、昨夜の徹夜マージャンがたたって、ひっきりなしに欠伸をかみ殺していた。

この部屋の照明のスイッチは会場内の簡単な舞台の背景になる衝立の裏側にあって、その場所にいると、会場の様子が見えないので、他のボーイが衝立の端から顔を出して坂本へ声をかける事になっていた。

眠いな、畜生。ボーイの坂本は首を振った。

「……美奈子さんの勇気には、全く私たちも脱帽せざるを得ませんでした」

上西が続けていた。「それは愛から来る勇気であります。私は美奈子さんの冒険の中に、ベートーヴェンが『フィデリオ』に描いた、女性の理想像、レオノーレを見る気がするのです」

美奈子は照れくさそうに顔を伏せていた。上西は最後に、

「……では早く可愛い二世を、とお願いして終らせていただきたいと思います。なるべく早くお願いします。何しろ私はもう年齢《とし》ですから」

どっと拍手が湧き起こった。

午後六時二十分

雅子はトイレから廊下へ出て来て、素早く周囲を見回した。ウェイトレスの制服を着て、自分の服とバッグを入れた紙袋を持っている。もう必要になる事はあるまいと思ったが、それでもどんな事情で決行できないかもしれない。一階へ降りると、クロークへ行った。

「お客様からお預けするよう言われました」

クロークの係の方は大勢のウェイトレスの顔など、いちいち憶えていない。すぐに受け取って番号札を渡してくれた。雅子はエプロンのポケットへ札を入れると、一緒に入っている二本のナイフに手を触れてみた。冷ややかな感触が、安心感を与える。そしてもう一つ、小さな紙片がポケットに入っている。

六時半だ。予定通りならば、披露宴は今、主賓のスピーチが終るかどうかという所だろう。その後、乾杯、ケーキ入刀と続く。お色直しに立つのが六時四十五分として、戻るのは七時十五分か二十分だろう……。

「ちょっと！」

急に声をかけられて、雅子はぎくりとした。見ればこっけいなほど派手なドレスを着た、中年のでっぷりした口やかましそうな婦人だ。

「加納だけど、控室、どこなの？」

雅子は自分がウェイトレスの服を着ているのを思い出した。

「あ…あの……」

「さっぱり判りゃしない。どこへ行きゃいいのよ」

「下の案内をご覧いただけませんか」

「それで分らないから訊いてるんじゃないの！」

その婦人は急に腹を立てて、ほとんど怒鳴るように言った。「あんた、ここの人なのに分らないっての？」

「あの……なにぶん混んでおりますので、お名前だけでは……」

これがその太った女を完全に怒らせてしまった。

「一体ここはどういう教育をしてるのよ。上役を呼んでおいで！　あんたが口答えをした事を説明してやるよ！」

雅子は、困った事になった、と思った。婦人の剣幕と大声に、周囲の客たちがこっちをじろじろ見ているのだ。

「ええ、何とか返事をしなよ！　どういうつもりなんだい！　分らないなら分りませんと言って訊きに行けばいいじゃないか！　それくらいの事もできないのかい、言葉ぐらいは分るんだろう！」

雅子は頭にカッと血がのぼるのを覚えた。

「——申し訳ありません」

必死の思いで怒りを抑えながら頭を下げる。

「謝ったって何ともなりゃしないよ。さあ、上役の所へ連れて行ってもらおうじゃないの」

「それは……ご勘弁下さい。……」

「今さら何よ。さあ、早く」

雅子はエプロンの中のナイフを思わず握りしめた。

こんな女に侮辱されるなんて。しかし、うかつな真似はできない。大事な時ではないか。しかし、この女をどうしよう。

「何か失礼がございましたか」

通りかかったタキシード姿の、責任者らしい男が声をかけて来た。

「ああ、ちょうどよかった」

婦人はとうとうと不満をまくしたてた。

「──それは申し訳ございませんでした」

タキシードの男は雅子の方へ、

「君！　よくお客様にお詫びしなさい」

「申し訳ありません」

「私がご案内申し上げます」

雅子は、やっとこの場から逃れられる、とほっとした。すると、タキシードの男はまた雅子の方へ、

「君も一緒に来たまえ」

と言った。

拒むわけにはいかなかった。ホテルの人間に怪しまれてはまずいのだ。仕方なく、雅子は二人の後からついて行った。

午後六時四十分

「では」

司会者が言った。「乾杯の音頭を、新郎新婦ともに恩師と仰がれる、K大学教授浅倉久一郎様にお願いいたします」

浅倉教授は、曲っていたネクタイを直そうとしてもっとひどく曲げながら、グラスを手に立ち上がった。客も一斉に立ち上がる。

「あの男は」

いきなり大声で教授が言った。

「わしの右腕じゃった。あの娘はわしの左腕じゃった。ところがどうだ！　右腕が左腕をかっぱらって行きおった！」

客が大笑いした。

「両方なくなって、わしゃどうなるんじゃ。ダルマじゃないか」

修一と美奈子も、グラスからシャンパンがこぼれそうになるほど笑った。

「これは、まことにけしからん事である！　従ってわしはちっとも祝う気はない。しかし、この酒を飲むのは少しも嫌ではない。で、仕方ないので、そのけしからん事に乾杯しようと思っとる。乾杯！」

一同が和した。

「——では次に、ウェディングケーキにナイフを入れていただきます」

「おい、スイッチ、スイッチ」

ボーイの坂本が、スイッチの所へ走る。

「合図するまで待つんだぞ！」

「分ってるよ」

ケーキの前で、ボーイ長が、修一と美奈子にナイフの持ち方、当て方、切る場所を教えている。四、五人の客が、ぞろぞろと前へ出て来て、カメラを構えた。ボーイ長が、ドアの所のボーイへ合図した。ボーイが坂本へ声をかける。

坂本がスイッチを消した。同時にスポットライトが、ウェディングケーキと、それにナイフを入れる二人をくっきりと照らし出す。音楽が鳴り、拍手が湧き起こり、カメラのフラッシュが光る。

ボーイが坂本へ、「明り！　ほら！」と声をかけた。

坂本がスイッチを入れて、部屋は再び明るくなった。眠さが、ますますつのった。

「ではここで、新郎新婦とも、お色直しのため席を外します。しばらくお食事を召し上がりながら、ご歓談下さい」

司会者も客も、ほっとする一瞬である。修一と美奈子が、ボーイ長に付き添われて出て行くと、遠藤は、ふうっと息をついた。上西と目が合うと、上西が笑って片目をつぶって見せた。遠藤は、左のわきの下へ手を回して、巻川刑事が持って来た拳銃に触れる。しばらく迷ってから、やや体をかがめるようにしてテーブルの下で拳銃を取り出し安全装置を外した。よほど激しく動かなければ暴発の心配はないし、咄嗟《とっさ》に役に立たなくては困るだろう。拳銃をホルスターへ戻すと、上衣の前を合わせ、身体を起こして、食事に取りかかった。

午後六時四十五分

もう二人はお色直しに席を立っているだろうか。雅子はタキシードの男と、太った女の後について、じりじりしながら歩いていた。

「こちらでございます」

ドアを開けながら、タキシードの男が言った。

「ありがとう」

女は雅子の方へちらっと尊大な視線を投げると、「もう少し良く教育しておいて下さいね」

「充分注意いたしますので」

女が部屋へ入って行くと、タキシードの男は、雅子の方へ苦り切った顔を向けた。

「困るじゃないか、君」

「はい……」

雅子はできるだけ顔を伏せていた。

「余り見かけないが、最近入ったの？」

「はい、入ったばかりで」

「ふん、しかしね、ああいう中年のご婦人は大体が口やかましいんだ。気を付けてもらわないとね」

「以後気を付けます」

「この階の係なの？」

「は、はい……」

「じゃあチーフは村山さんだね、ちょっと一緒においで」

雅子は、どうしてよいか決めかねて口をつぐんだ。何としても直接の担当者に顔を見られてはならない。何とかこの場を逃れる方法はないだろうか。

「どうしたんだい？　さあ」

促されて仕方なく雅子は歩き出した。こんな所で邪魔が入ろうとは……。歩きながら必死に考えをめぐらす。チーフというのはどこにいるものなのだろう。早く何とかしなくては。――その時、館内アナウンスが、「藤山主任、藤山主任、至急一階クロークへおいで下さい」と呼んだ。

「何だ……。何か用かな」

タキシードの男はぶつぶつ言ってから、雅子を見て、

「行かなきゃならんから、まあ今日のところは黙っておいてやるがね、充分気を付けてくれよ」

タキシードの男が急いで立ち去ると、雅子は、そっと額の汗を拭った……。

午後七時二十分

音楽が流れ、雑談しながら、食事を摂る時間が続いた。途中で司会者が何通かの電報を読み上げたりしているが、余り客の耳には入らない。坂本は、スイッチの傍で椅子に坐って、うとうとしていた。

上西は腕時計を見た。そろそろ二人がお色直しを終えて戻って来る。この間が一つの危険なヤマ場になる。殊更ていねいな手つきで上西は食事を続けた。

一方、廊下では、着付室から、レースの花柄をあしらった淡いピンクのカクテルドレスに着替えた美奈子と、黒から今度は純白のタキシードになった修一が出て来た。

二人はお互いを眺めて何となく笑い出してしまった。

「きざね」

美奈子が言った。

「さすがフランス帰り、ぐらい言ってくれないかね」

「じゃ私はどうなるの？」

「さすが、東北出身！」

「それ、どういう意味よ」

二人は笑いながら、ボーイ長の先導で歩き出した。遠藤夫人が二人の後からついて行く。式の始まる時からずっと、修一と美奈子が廊下へ出る度に、寄り添うようにして警護している二人の刑事が、ソファから立ち上がって、また新郎新婦の傍に付いた。

「ご苦労様です」

修一が巻川刑事へ声をかける。

「本当に危ないんでしょうか？」

と、美奈子が、やや不安気にあたりを見回した。

「念のためですよ」

巻川刑事が気軽に言った。

「何もないさ、大丈夫」

修一が美奈子に肯いて見せた。

雅子は彼らに充分離れてついて行った。エプロンのポケットに、二本のナイフが、重い。そして手にロビーの自動販売機で買って来たタバコを一箱持っていた。

一見して刑事と分る男たちがついているのを見て、一瞬とても無理だと思った。しかし、今を除いて機会はないし、ウェイトレスの制服を盗んだ事が分って調べられるかもしれなかった。それに、まさか刑事たちも披露宴会場の中まで入る事はあるまい。

修一と美奈子が並んで歩いて行く後姿を見ても、雅子は、不思議にねたましさを覚えなかった。美しく、華やかな二人に、ほとんど感動したと言ってもよかった。——あのままにしておいてあげたい。ふと、そんな思いがきざした。いや、そんな——それでは余りに寂しすぎる。一人で死ぬのはいやだ！　一人では……。

ふとポケットの紙片の事を思い出した。手の中で、小さく丸める。

会場の入口の前で、修一と美奈子はボーイ長から長い真直ぐな金色の棒の先に、細いロウソクを結びつけたものを手渡された。〈キャンドルサービス〉である。各テーブルの中央に、火のついていない、太いロウソクがあり、それに、二人が手にした火で点火して回るのである。最近流行の趣向の一つであった。

「皆様、お待たせいたしました」

場内では司会者が再び声をはり上げた。上西はほっと胸を撫で降ろした。では無事に済んだのだ。

坂本が、目をこすりながら慌ててスイッチを消した。

会場が暗くなり、スポットライトが入口を照らした。ボーイ長が、二人の手にした小さなロウソクにライターで点火し、ドアを開けた。

ロマンティックな音楽が流れて、白いタキシードの修一と、カクテルドレスの美奈子が、金色の棒を手に入って来ると、「よぉっ！」「いいぞっ！」音楽と拍手に混じって野次も飛ぶ。遠藤は修一の純白のタキシード姿に目をむいて、唖然としていた……。

ライトがボーイ長に先導される二人を捉えて、ゆっくりと移動して行く。二人はこれから、六つのテーブルを回って行くのである。

廊下では、二人の刑事が大きくのびをしていた。

「さて、これでひと安心だ」

「ちょっと休もうか」

二人は手近なソファへ行って腰を降ろした。ウェイトレスが一人、ちょうどその瞬間を見はからって、二人の傍をすり抜けて行くと、披露宴会場のドアをそっと開けて中へ滑り込んだ。巻川たちがソファに落ち着いて、廊下を眺め渡した時、もうウェイトレスの姿はドアの中へ消えていた。

入口に立っていたボーイは、ドアが開いて、ウェイトレスが入って来るのに気付いた。

「おい、何だい？」

「あの」

ウェイトレスはタバコを見せて、「お客様に買って来るように言われたものですから」

「ふうん。邪魔にならないようにな」

「はい」

ウェイトレスは室内の暗がりの中をそっと進んで行った。あんなウェイトレス、いたかな。ボーイは首をひねった。

修一と美奈子は三つめのテーブルのロウソクに点火する所だった。一つ点《つ》くごとに拍手と歓声が起こる。雅子は、壁を伝って、少しずつ正面のテーブルの方へ近づいて行った。みんな、二人に気を取られて、雅子の動きに気付かない。それに、部屋は暗くて、目につかないのである。

四つめのロウソクに火が灯った。雅子は、正面のメインテーブルを、ほぼ真横から見る位置まで来ると、壁へぴったり身体を寄せた。ポケットから二本のナイフを取り出し、両手に一本ずつ持ち、エプロンの下へ入れた。

五つめのロウソクがつきが悪く、やや手間取って、やっと点火された。六つめ、最後のテーブルのロウソクへ点火したら、二人は、雅子とは反対の側からこのテーブルを回って、席へ戻るはずだ。そのときには、二人は雅子に完全に背を向けてテーブルを回る事になる。ちょうど部屋の明りもそこで点くだろう。それが、決行の瞬間だ。雅子はナイフを手に、じっと息をひそめた。

六つめのテーブルへ二人が移った。二人の学友たちが集まったテーブルなので、何かとうるさい。一人、少し悪酔いしている修一の友人がいて、二人が近づいてくると、

「よぉっ！」と大声を出した。

衝立のかげのスイッチの前で、坂本はうとうとしかけていた。キャンドルサービスは大分時間がかかるので、待っているうちに、眠気に負けそうになったのである。そこへ、

六つめのテーブルで客が上げた「よぉっ」という声が聞こえた。坂本は、はっと目をさました。合図だ、と錯覚して、慌ててスイッチを入れた。

まだ六つめのロウソクが点火しないうちに場内に明りが点いた。

上西は、ちょうど雅子を正面に見る位置に坐っていた。なぜあんな所にウェイトレスがいるんだろう、と上西は思った。

二人の目が合った。

雅子は上西を知らなかったが、その瞬間、相手が自分の敵で、自分の事を見破ったと直感的に悟った。行くんだ！

丸いテーブルを回って行かねばならなかったが、迷っている暇はない。雅子の手にナイフが光った。雅子は飛び出した。上西が鋭く叫んだ。

「遠藤！」

遠藤は目の前をかけ抜けて行く娘を見た。その手にナイフがある。椅子を後へ蹴り倒して立ち上がり、拳銃を抜く。腕をのばし、修一に向かって突進する、ウェイトレスへ向けて、引金を絞る。足を狙っているゆとりはなかった。弾丸は、彼女の背中に命中して、血がはじけ飛んだ。彼女は転ぶように倒れた。二本のナイフが床の絨毯へ食い込んだ。

一瞬ののちに、会場内は、悲鳴と恐怖の叫びで満たされた。修一と美奈子は立ち尽くして、目の前に倒れた雅子を見ていた。

雅子は半身を起こした。体が重かった。背中が濡れて行くのが分る。血だ。ここで死ぬんだと思った。部屋が奇妙に静まり返っていた。雅子は力をふりしぼって、わずかに修一たちの方へ這い寄ったが、もう進む力がないと知ると右手を修一へ向かってさしのべた。やはり一人で死ななければならないのか。ずっと前から、こうなる事は分っていたような気がした。せめて修一の手に触れて死にたいと思った。だが、手を持ち上げているのも辛くなって来た。修一の顔が、次第にぼやけ、かすんで来る。美奈子が修一へ言うのが聞こえた。

「手を取ってあげて!」

修一が手を出そうとするのがおぼろげながら分った。しかし、それも一瞬だった。雅子の周囲のすべてが、闇の中へと消えて行った。

終　章　――四月五日――

「上西さん！」

ドアを開けて、修一が思わず声を上げた。

「お邪魔していいかね」

「どうぞどうぞ。まだ片付いていないんですよ」

新しいアパートは、２ＤＫの造り。真新しく清潔で、爽やかだった。調度や家具の配置がすっきりしているのは、いかにも美奈子らしい、と上西は思った。

「美奈子は買物へ出てましてね」

「うん、知ってる」

「お会いになったんですか？」

「いや、出て来るのを見かけてね」

「そうですか。今、お茶を淹れますから」

「構わんでくれよ」

上西は食堂の椅子に腰を降ろした。

「大変でしたね、色々と」

修一が茶の葉を急須へ入れながら言った。

峯岸雅子の死と、その手記が公表されて、マスコミにセンセーションを巻き起こした。それはまだ収まっていない。

「君たちも大変だろう」

「ええ、今でも日に三件は雑誌や新聞のインタビュー申込みの電話がありますよ。全部断わってますがね」

「マスコミは必死でしのぎを削ってるからね」

「それにしても、新婚旅行先までついて来るんですからね」

修一は笑って、「どうやって調べたのやら」

上西は、ホテルでの惨劇の後、自分と遠藤で、何もかも片付けるから心配するな、と修一たちを新婚旅行へ予定通り発たせたのである。そこまで二人の生活が犠牲になっては、かわいそうだと思ったからだ。

「しかし彼女が――雅子の事ですが、あの手記を残して行ったのは幸運でしたね。連続殺人の動機も分ったし」

「その事で話がしたくて来たんだよ」

「というと？」

「あの手記を読んで、君はどう思ったね？」

「そうですね。……ま、こんな言い方は良くないかもしれませんが、哀れな女だな、と……」

「いや、当然だよ。誰しもそう思うだろう」

「運命の糸に操られた、とでも言うんですかね」

「彼女自身もそう言っている」

「え？」

「手記の中で、『先生』という男に乱暴された所だ。憶えていないかな」

「ああ！　思い出しました。糸の切れたマリオネットのように……」

「そうだ」

上西は肯いた。「しかし、彼女は本当の意味を知らなかった」

「本当の意味？」

「峯岸雅子というマリオネットを操っていたのは、運命でも神でもなかったんだよ」

修一はけげんな表情で、

「どういう意味です？」

「彼女を操っていたのは、人間だった、ということさ」

修一は目を見張って、

「……じゃ、誰かが……背後にいたと？」

「そうだ」

「驚いたな……。上西さん、どうしてそれが分ったんです？」

「なぜなら、あの手記はみんなでたらめだからだ」

修一は上西の向かいの椅子に腰を降ろした。

「おっしゃる意味がよく分りませんが……」

「いいかね、一般の人はみんなあの手記をそのまうのみにしているが、私は冷静に、細かく分析してみたんだ。その結果、色々と矛盾が出て来た」

「たとえば？」

「まず、殺された四人が、あのロッジに泊っていたという点だが、第一にあれは六年前の出来事だ。ところが、最後に殺された畑中という男が教師になったのは四年前、ロッジでの出来事の後だ。だから、少なくとも彼が『先生』と呼ばれる事はありえない。第二に、最初に殺された弁護士だが、彼はその年の夏は、胆石の手術で入院している。軽井沢などへ行けたはずがないんだ」

「すると、彼女は人違いで……」

「二人も間違える事があるかな。――しかし、それだけではない。あそこにはもっと大きな矛盾がある」

上西はしばらく間を置いてから、無表情な声で続けた。

「彼女の検死に、私も立ち合った。――彼女は処女だったよ」

「何ですって？」

「彼女は自分自身、手記の中で認めているように、空想と現実の境を時々、見失ってしまう娘だった。あの暴行そのものが、実際には起こらなかったのだ。あれは彼女の想像の世界での出来事なんだよ」

修一は夢でも見ているような表情で、上西の話を聞いていた。

「――彼女は熱を出して寝込んでいた。おそらく、そこへ酔った男が本当に部屋を間違えて入って来たのだろう。出て行く時に、ロッジの主人が『先生』と呼びかけたのも事実なのだろう。しかし、その間の出来事は、すべて彼女が熱に浮かされている中で思い描いた空想の産物だったのだ。おそらく、異常なほど潔癖だった彼女のうちには抑圧された欲望があったに違いない。それが空想という形で現われ、自分自身、それを事実と思い込むようになってしまったのだ」

修一は頭を振った。

「僕は疑ってみようとも思わなかった……」

「当然だよ。次に疑問なのは、ではなぜ彼女はあの四人を殺したのか、という点だ。彼女はあの四人が、あの日実際ロッジに泊ったと思い込んでいたのだ。なぜだろう。調べたのか。どうやって？　調べたにしては、そんなはずのない人間を二人まで殺しているのはおかしくはないかね」

「確かにね」

「こういう仮説を立ててみたらどうだろう。ここにある人物がいて、雅子が『先生』と呼ばれる男を殺す決意をしている事を知ったとする。同時に、その人物は、何人かの人間を殺したいと思っていて、気が付いてみると、自分が殺したいと思う相手は、たまたま全部『先生』と呼ばれてもおかしくない立場の人間ばかりだった。そこでその人物は自分が殺したい人間のリストを雅子に渡し、この中に彼女の殺すべき相手がいると言う」

「――マリオネット」

修一が呟いた。

「そうだ。彼女は糸に操られて、その人物のために人を殺し続けたのだ」

「しかし……しかし、その糸を引いていたのは、一体誰なんです？」

上西は、じっと修一の目を見据えて、言った。

「君だ」

修一は笑い出した。

「上西さん！　びっくりさせないで下さい。本気かと思いましたよ」

「残念ながら、私は本気だ」

「馬鹿げている！」

修一は腹立たしげに言った。

「そうかな？　しかし君以外の誰が、それをできたかな。彼女はあの地下に幽閉され、誰とも接触がなかったんだ。彼女は誰も信じていなかった。その彼女にリストを渡し、信じ込ませる事ができたのは、君しかいない。彼女を牢から出してやったのは君だ。彼女は君だけを信じていたのだ。それだけではない。あの六本一組のナイフや、かなりの額の金を彼女にあらかじめ用意できたのも、君だけだ。彼女が地下室を出て芳子さんを始め三人の人間を殺し、逃げるまでのわずかな間に、それだけのものを都合よく捜し出すことは不可能だ」

「何か証拠でもあるんですか？」

上西は、ポケットから封筒を取り出し、中から一枚の写真を出した。

「これが君の作ったリストだ。複写だがね。君の筆跡かどうかは鑑定させればすぐに分る。どうかね？」

修一は写真を受け取ると、食い入るように見つめた。

四人の男の名と住所が書かれてある。写っている紙はしわくちゃで、文字もかすれているが、筆跡は読み取れる。

修一は肩を落とし、深く息をついた。

「——捨ててしまえと言ったのに」

上西は静かに言った。

「彼女は君を愛していたんだよ。女性は恋人の物を、何か一つは持っていたいものだ。

しかし、彼女は、最後に君の言う通りにした。君を襲おうとする前にそれを飲み込んだのだ。これは彼女の胃の中から見つかったのだよ」

「僕の負けですね」

修一はじっと上西を見つめながら、「あの手記だけから、あなたはそれを全部推理したんですか？」

「そうではない。君を疑うきっかけになったのは、実はあの浅倉教授のおかげなのだ」

「先生の？」

「披露宴があああいう風に終って、君たちを送り出した後、私は雅子の死体のそばに残っていた。すると、浅倉教授がのこのこやって来て、こう訊くんだ。

『今、ちょっと耳にしたんだが、この娘は、峯岸雅子というのかね？』

『そうです』と私は答えた。

『父親は良三かね』と言うから、『ええ』と肯いた。当然、教授も新聞でその名を知ったのだろうと思っていたんだ。ところが、教授は娘の死体を見下ろすと、首を振って、こう言ったんだ。

『わしは、この娘をまだ小さい時に見た事がある。可愛い女の子だったが、可哀そうに！』

私は何の事か分らなかった。

『この娘をご存知なのですか？』と訊くと、

『父親はわしと大学の同窓でな、頭の切れる男じゃった』という答えだ。

『峯岸良三をご存知なのですか』と驚く私に、『もちろん。娘が死んだと知ったら、さぞ気を落とすじゃろう』

私は教授によく訊いてみた。教授は新聞などさっぱり読まないので、峯岸良三が死んだ事も、例の薬の密輸をしていた件も、まるで知らないのだ。死んだと聞くと教授はこう言った。『これは困った。わしはずっと教室の連中がフランスへ出かける度に、峯岸あての紹介状を持たせてやっとったのだ。あいつはパリではかなり顔が広いちゅう事だったんでな。ではみんなあっちへ行って困ったろう。奴が死んどるとはな……』

私は、『では、先生は、上田修一君にも、峯岸あての紹介状を持たせたんですか？』と訊いた。教授は肯いた。その紹介状は、峯岸が飛行機事故で死んだ事になってから何の意味も持たなくなっていたのだが、当の教授はそんな事は少しも知らなかった。いや、聞いても、忘れてしまったのかもしれない」

上西はひと息ついて、続けた。

「その時、初めて私は、君の事を疑い始めた。峯岸良三の名を知っていながら、なぜ黙っていたのか。君がなぜ偶然峯岸家へ家庭教師に行ったのか。――そこへ、雅子の手記が届いたというわけだ。後は、彼女の手記を詳しく検討し、検死を改めてやり直させた。そして――分ったのさ」

修一は黙って肯いた。

「今度は君に話してもらおう。初めから順序立てて頼むよ」

と、上西が言った。

「いいでしょう」

修一は、むしろさっぱりした口調で言った。

「僕はパリへ着くと、早速紹介状を持って峯岸の邸へ行きました。ところが門の前まで行くと、突然、男が一人急に僕に襲いかかって来たんです。若いフランス人でした。僕のスーツケースを取ろうとするんで、僕は抵抗し、そいつと格闘になりました。男はナイフを出しました。争っているうちに、僕はそのナイフで奴の腹を刺してしまったんです。男は血だらけになって苦しんでいるし、僕は途方にくれてしまいましたよ。身寄りも知り合いもないパリで、いきなり人を刺してしまったんですからね。ともかく急いで峯岸の邸へ飛び込みましたが、邸にいるのは管理人とかで、峯岸は死んでいるというじゃありませんか。ますます困って事情を説明すると、管理人は僕を部屋へ入れて待つように言いました。かなり長い間待たされましたよ。そのうち、管理人という男が僕を車で郊外へ連れて行きました。どこやら人気のない林の中の小屋へ着くと夜になっていました。小屋の中に一人の大柄な日本人が、数人の用心棒らしいフランス人を従えて坐っていて、それが峯岸だったんです。

そこでやっと事情を説明されました。僕が刺した男は、峯岸の組織と敵対している麻薬組織の手先で、あの邸をずっと見張っていたらしい。そこへ僕がスーツケースをさげてやって来たので、てっきりこれは日本から来た峯岸の組織の人間だと思い込み、僕のスーツケースを奪おうとしたんですね。

峯岸は言いました。僕が配下を傷つけた事はすぐ相手に知れる。そうなれば僕の命は三日とあるまい、とね。『奴らは君をさんざん痛めつけてから、じわじわと殺すだろう。君は懐しい浅倉君の紹介状を持って来ているんだから、我々が楽に死なせてあげてもいい』と、冗談とも本気ともつかない口調で言って、笑ってるんです。僕は窮地に立たされると妙に腹がすわって来る性質《たち》でしてね、勝手にしろ、と言ってやりましたよ。ついでに、浅倉先生から頼まれた文献は、あんたが捜して先生に送っといてくれ、と付け加えたんです。すると峯岸は、ひどく愉快そうに僕を眺めていましたが、やがて、ひとつ私の仕事を手伝う気はないか、と言い出しました」

修一は、一旦話を切ると、台所へ立って行った。淹れかけだったお茶を淹れて上西へ出し、自分もゆっくりと飲んだ。

「——話をすると喉が乾いて。いや、全く、あの峯岸って男は人を魅き付けて放さない、何かを持っていましたね。貴族の雰囲気というか。すべてに超然としたような所があって……。見も知らぬ僕を使おうなんて言い出したのは、その貴族らしい気紛《きまぐ》れの一つだったんでしょう。ともかく僕としては承知しなくては殺されるんですから、仕方ありません。それに少なからず金も入るし、僕は決して良心の呵責《かしゃく》に悩まされる方じゃありませんしね。子供の頃から、僕は強い者が生き残るんだ、という単純な真理を信じて生きて来ました。道徳や法律などには何の価値も認めません。その点では峯岸と僕には似た所があったんです。彼はそれを一目で見抜いていたんだと思いますよ。

僕は予定通りソルボンヌへ入り、研究生活を送りながら、一方では峯岸の配下として働きました。僕が刺した相手がどうなったのかはよく分りません。峯岸が死体にして片付けてしまったんでしょう。彼は日本人の部下を何人か使っていましたが、特に僕に目をかけていました。優れた犯罪者の素質がある、と考えていたのでしょう。しかし、一つ彼にも見抜けなかった事がありました。僕が裏切り者になるほどの悪人だった、という点です」

「君が峯岸を殺したのか」

「ええ。——例の敵対していた組織の連中が僕の存在を知って、ある晩僕の部屋へ押し入って来たんです。そして、ここで死ぬか、寝返って峯岸を殺すか、どちらかを選べと迫りました。

彼らとしても、日本向けのルートを動かすのに適当な日本人を捜していたのです。僕はそれを知っていたので、峯岸の組織を任せてくれるなら、やってもいい、と逆に提案したんです。

連中はしばらく迷ってから承知しました。実際、その頃には、僕にも欲が出ていましてね、自分で組織を動かしてみたい、という気があったんです。僕は次に彼と会った時彼を後から射ちました。

前から射たなかったのは……いくらか、やはり後めたかったんでしょうかね」

上西は、じっと修一を厳しい表情で見つめていた。やがて、ゆっくりと肯いて、

「その辺の事情はよく分った。今度は雅子が殺した四人の方だが、我々にもいくらか分った事がある。もう一度四人のここ数年の行動を照らし合わせてみたんだが、ほぼ同じ時期に、四人ともヨーロッパへ旅行している。弁護士はもう何度も行っているし、医師も同様だ。他の二人、音楽家と教師はそれが初めてのヨーロッパ旅行だった。その時期というのが、ちょうど峯岸が飛行機事故で死んだと見せかけた、その頃の事なんだ。おそらくそこに鍵があると私はにらんでいるんだがね」

「気が付きましたか。あの連中はね、峯岸が乗る予定だった旅客機が墜落した時、たまたま峯岸と同じホテルに泊っていて、その日、一緒に近くの遺跡を見に行っていたんですよ。峯岸は特にその方面に詳しいですからね、説明役をつとめたらしいんです。ところがあの辺の航空会社の旅客名簿はいい加減でしてね、あの事故で峯岸も死んだと発表されてしまった。彼はそのチャンスに、姿を消してしまったわけですが、彼があの飛行機に乗らなかったのを知ってた者がいる。それがあの四人だったわけです。おそらく四人とも旅行中の事で、しかも別々のルートで旅行を続けていたのですから、そんな事に気付かなかったでしょうが、峯岸は、何かのきっかけで、自分が生きていると知られるのを防ぎたかったんです。

一番心配していたのは四人がたくさん撮っていた写真の中にうつっていないとも限ら

ない、という事です。そこで、僕に、今度日本へ戻ったら、この四人を始末してほしいと言ったのですが、その前に僕が峯岸を殺してしまいました。

そうなると今度は僕にとって、この四人が邪魔な存在になって来た訳です。つまり峯岸が飛行機事故で死んだ事になっている限り、死体が発見されても峯岸であるとは決して判らないでしょうし、それで僕が疑われる事もありません。けれども、峯岸が事故で死ななかった事が分ると、死体が見つかった場合、身元が知れて、当然真っ先に商売敵が疑われる事になります。僕が疑われる事はまずないでしょうが、万一少しでも嫌疑がかかると、組織の上層部の連中は、組織の安全のために、さっさと僕を抹殺してしまうでしょうから、あの四人に死んでもらうのは、僕にとってもぜひ必要な事だったのです。むろん四人を殺すのに下手をして足がついたら、元も子もありませんから慎重にやる必要がありますし、峯岸の日本での組織についても詳しく調べなければなりませんでした。日本の組織では、まだ峯岸が生きていると信じているんですからね。僕は、ルートが、僕なしでもしばらく大丈夫なように手配しておいてから、日本へ帰って来ると、ひとまず、ルートの中心である、峯岸家の娘たちを見に行ったわけです」

「どうやって巧く家庭教師に雇われたんだね?」

「簡単ですよ。向こうを発つ前に父親の名で、近々フランスへ来てもらうからフランス語会話を習っておけ、友人のK大学の浅倉教授に頼めば、いい人間が見つかるだろう、と手紙を出しておいたんです。そして時期を見計らって教授の所へ顔を出したわけですよ。むろん手紙は代筆という形でしたが、彼女たちは信用したようですね」

「なるほど。帰って来てから、組織との連絡はどうしたんだね？」

「ほとんど取っていませんよ。僕はまず紀子の事をよく知る必要がありました。国内ルートは彼女一人でまとめていたんですからね。それまでは下手に海外電話などして疑われては困ります。足が治ってからは何度か連絡しましたが、いずれにしろ近々一度フランスへ戻るつもりでした」

「分った。——では峯岸家での出来事を話してくれないか」

「後はお察しの通りです。地下の雅子の事は全く聞いていなかったので、驚きましたよ。いろいろ話してみて、僕は彼女が『先生』という男を殺したがっている事情を知りました。そこで思いついたんですよ。僕が殺さなければならない男も、みんな『先生』ばかりだ、とね。で、彼女に、これが君の殺すべき相手のリストだと渡してやったんです。しかし、彼女がまさか姉や使用人まで殺してしまうとは思いも寄らなかった。ついでに僕まで足を折って身動きが取れなくなってしまった。僕があの療養所のベッドでどんなに気を揉んでいたか、想像もつかないでしょう」

「だが、彼女は忠実に君の指示を守った」

「そうです。彼女が一人で、あれほど完璧にやってのけるとは思いませんでした。天才的な殺人者でしたね」

「君は、彼女を最後にはどうするつもりだったんだね？」

「さあ。殺して自殺に見せかけたでしょうね」

修一は事もなげに言った。

「ところが危うく君が殺される所だった」

「皮肉なものですね。しかし、彼女は本気で僕を愛していたんでしょうか」

「哀れな事にね。自分がマリオネットだとも知らずに、だ」

「マリオネットか……」

修一は言った。「美奈子には、あなたから話しておいていただけますか」

「いいとも。何か伝える事はあるかね」

修一は肩をすくめて、

「何も。——ただ、会いに来るなと言って下さい」

「それだけかね」

「それだけじゃいけませんか」

挑みかかるように修一が言った。「もともと美奈子との結婚だって、一種のカムフラージュだったんですからね。別に愛していたわけでも何でもないんです」

「本気でそう言うのかな？」

「本気ですよ」

ひきつったような笑いが修一の頰に浮かんだ。

「さあ、早く行かないんですか？　あいつが帰って来ないうちに。愁嘆場はごめんですからね」

声に苛立ちが現われている。上西はじっとそんな修一を見つめていたが、やがて、席を立って玄関へ行き、ドアを開けた。刑事たちが入って来た。修一は急に笑い出した。

「何だね？」上西が訊いた。

「今思ったんですよ。今度は僕がマリオネットになる番だ、とね。絞首台のロープにぶら下がって、手足をバタつかせるんでしょう」


修一が連行されて行った後、上西は、じっと椅子にかけて美奈子が戻るのを待っていた。美奈子は立ち直るだろうか。――きっと大丈夫だ。上西はそう願っていた。

弾むような足音が聞こえて、ドアが開くと、美奈子が飛び込んで来た。

「ただいま！　あら、上西さん、いらっしゃい」

「やあ」

「よかったわ、今夜すき焼にするんで、肉をたくさん買って来たの。食べて行って下さいね」

美奈子は、部屋を見回して、不思議そうに訊いた。

「修一さん、どこにいるか知りません？」

解　説

権田萬治

赤川次郎は現代日本推理文壇の若き旗手である。昭和五十一年に短篇「幽霊列車」でオール讀物推理小説新人賞を受賞してからの急成長ぶりは目を疑うばかり。矢継ぎ早に長短篇を発表して、今では文字どおり若手の代表選手となった。

赤川次郎の処女短篇である「幽霊列車」を読んだとき、確かに乗ったはずの八人の乗客がこつぜんと駅に着く途中の列車から姿を消すという導入部の不可思議性だけでなく、美人で小生意気でかわいらしい女子大生永井夕子と男やもめの中年警部、警視庁捜査一課宇野喬一の探偵コンビの面白さに目を見張らされた。が、続く長篇第一作の本書「マリオネットの罠」(昭和五十二年)には改めて新鮮な衝撃を受けたのである。「幽霊列車」の明るくユーモラスな世界とは打って変わった無気味な恐怖の世界。フランス・ミステリーの味わいのあるサスペンス豊かな世界がそこに生々しく描き出されていたからである。

このように赤川次郎は主題に応じてまったく違う世界を描くことのできるまことに多彩な才能の持主だが、その作品の第一の魅力はやはりユーモラスな視点だろう。ところで一体ユーモアとは何か。私は、フランスのユモリスト、ピエール・ダニノスの「ユーモア……それは悲しみのカリカチュアだ」という定義が好きだ。要するに人生のばかばかしさを優しく眺める中に自然に生まれる滑稽感がユーモアというものだろう。そして赤川次郎は、実に豊かなユーモア感覚の持主だと思うのだ。

「幽霊列車」に初登場する女子大生の永井夕子に振り回される宇野警部は三年前に交通事故で妻を失い、六畳一間の官舎で独り暮らし。さっぱりさえない中年男だが、年相応に中年のいやらしさを身につけている。片やキュートな永井夕子は、そんなことなどおかまいなく、中年の男心をくすぐりながら、名探偵ぶりを発揮する。二人の対照の妙によって、物哀しい中年男のわびしさが一層コミックに浮かび上がって来るという趣向である。「幽霊列車」、「幽霊候補生」などの連作短篇集で活躍するこのコンビは氏の作り出したシリーズ・キャラクターの中でも最も魅力的といえそうだ。

赤川次郎の探偵コンビの新しい点は、現代では圧倒的な捜査能力を持つ警察官を名探偵シャーロック・ホームズとして活躍させるのではなく、その手柄話を書くワトソン博士の位置に置いて、一種の狂言回しの役回りを演じさせている点にある。長篇「三毛猫ホームズの推理」（五十三年）や「三毛猫ホームズの追跡」（五十四年）で活躍する二十九歳の警視庁捜査一課の片山義太郎刑事は、背高ノッポでキリンみたいな歩き方をするのと童顔と撫で肩が女性的な感じなので〝お嬢さん〟という仇名が付いている。だが、ビールはコップ半分でダウン、そのうえ女性恐怖症で血を見るのが大の苦手というダメ刑事である。そして、それを助けるのが何と三毛猫のホームズなのだ。

ダメな警察官を探偵役として活躍させた例は海外にももちろんある。史上最悪の迷探偵とされている、かの有名なドーヴァー警部シリーズがそれ。英国の女流作家のジョイス・ポーターが生み出したこのドーヴァー警部は、超デブの上に性格が陰険でとても焼きもちやき。食い意地が張っていて聞き込み先で出るものはすべて口に入れるという行儀の悪さ。部下の真面目なマグレガー部長刑事はおかげで苦労のしどおしだ。このポーターのユーモア警察小説も面白いが、赤川次郎のシリーズ・キャラクターのほうがちょっと物哀しいペーソスがあって親しみが持てる。笑いの少ない日本でこういう楽しいユニークなユーモア推理小説を開拓したのはやはり氏の功績だろう。

昭和二十三年二月福岡に生まれた赤川次郎は桐朋高等学校を卒業後、日本機械学会で十年くらいサラリーマン生活を送った。推理小説を書く前は漫画と映画に熱を上げ、とくに映画は自らシナリオを書く勉強をしたほどで、コミカルなタッチと軽妙なストーリー展開は、この二つの影響だろう。

とくに映画の影響は、犯罪笑劇ともいえる長篇「ひまつぶしの殺人」（五十三年）以後、懐しの名画のモチーフを借りて推理小説化した連作短篇の試み「血とバラ」（五十五年）にまで深い影を落としている。また、角川小説賞を受賞した「悪妻に捧げるレクイエム」（同）にしても、四人の合作者がそれぞれ女房殺しのテーマで執筆するという筋立ての中にシナリオ的な手法が巧みに生かされているといえよう。

このほか青春推理の「セーラー服と機関銃」(五十三年)、サラリーマンものの「上役のいない月曜日」(五十五年)など赤川次郎の世界はまことに多彩だが、中でも本書「マリオネットの罠」はのちに「招かれた女」(五十五年)に連なるフランス・ミステリーの味わいのある秀作である。氏のユーモラスな作品群の中では異色に映るかも知れないが、処女長篇だけに力がこもっていて文章も筋立ても実に見事なものだ。氏の多彩な才能を知ってもらう意味でもぜひ多くの人々に読んでもらいたいと思う。

(評論家　一九八一年記)

新装版解説

権田萬治

赤川次郎は一九七六年に短篇「幽霊列車」でオール讀物推理小説新人賞を受賞して推理文壇にデビュー、以後、奇想天外なキャラクターと意表を衝くストーリーで若い世代を中心に多くの読者を獲得、流行作家としての地位を確立した。作家生活三十年を迎えた二〇〇六年には、長年にわたって多彩な優れたミステリーを創造したことが高く評価され、日本ミステリー文学大賞を受賞した。

これまでに書いた作品は、四百八十冊を超える。多作で知られるミステリー作家としては、J・J・マリックなど二十四の筆名で四十年間に約五百六十冊執筆したジョン・クリーシー（本名）の例があるが、恐らく赤川次郎の今もなお旺盛な創作力を考えると、今後十年間に、この記録は、塗り替えられるものと思われる。

注目されるのは、冊数だけではない。赤川次郎の場合、その作品世界が独創的であるばかりでなく、ジャンルが実に多彩なのが特徴である。

さえない警視庁捜査一課の宇野警部を名推理できりきり舞いさせる可愛く小生意気な

女子大生・永井夕子の活躍する〝幽霊〟シリーズや、三毛猫が事件解決の推理のヒントを与える〝三毛猫ホームズ〟シリーズなどのユーモア・ミステリーは人気シリーズとして余りにも有名だが、三人の女テロリストの恐怖を描いた近未来サスペンス小説の『プロメテウスの乙女』（八二年）、海洋冒険小説の『ビッグボートα』（八四年）、吸血鬼が登場するホラー『魔女たちのたそがれ』（八四年）、青春ラブ・サスペンスの『哀愁時代』（八八年）、さらには、現代日本の社会状況への強烈な批判をにじませた連作短篇集『悪夢の果て』（二〇〇三年）などの〝闇からの声〟シリーズや時代小説の『鼠、江戸を疾る』（二〇〇四年）、等々、その守備範囲は驚くほど広い。

さて、それでは本書『マリオネットの罠』（七七年）は、どのような位置を占める作品なのだろうか。

『マリオネットの罠』は、氏がデビューした翌年に書き下ろした初めての長篇ミステリーであり、力のこもったサスペンス小説である。

こう書くと、『死者の学園祭』が最初の長篇ではないかと疑問を抱かれる方も居られるだろう。

確かに刊行順にいうと、『死者の学園祭』（ソノラマ文庫、同年六月）が長篇第一作ということになるのだが、一ヵ月遅れで刊行されたこの『マリオネットの罠』の原稿のほうが、実際には先に書き上げられていた。つまり、『マリオネットの罠』が氏の事実上の処女長篇小説なのである。

　この『マリオネットの罠』は、ユーモア・ミステリーの味のある軽いタッチの初期作品群とまったく趣を異にしたフランス・ミステリーふうのサスペンス小説であり、氏が新しい舞台に全力投球で臨んだことがうかがえる力作である。

　作者がこの作品に強い愛着を抱いていることは、氏が『一日だけの殺し屋』（青樹社、八四年六月）に特別に寄せたエッセイ「86分の10の思い出」からも明らかである。

　このエッセイは八四年四月までに刊行した八十六冊の自著単行本の中から特に思い出深い自作十冊を取り上げたもので、最初に『マリオネットの罠』を取り上げて、次のように語っている。

「まず、『マリオネットの罠』。

　これはやはり最初の長編ということで思い出に残っている。

　担当の編集者が、それこそ手取り足取りで、細部まで四百箇所もチェックしてくれて、いい勉強になった。意気込んで、色々お話をギュウ詰めにした感じ。人も十人以上惜しみなく（？）殺している。この作品が一番好きだという読者の手紙に、今も出くわす」

　作者は『マリオネットの罠』を、『黒い森の記憶』（八一年）とともにサスペンス小説のジャンルでの思い出深い作品として挙げている。

　サスペンス小説は、ごく一般的にいうと、論理的な謎解きよりも、状況設定やストーリー展開によって、読者にハラハラ、ドキドキのスリルとサスペンスを感じさせることを主眼にしたミステリーといえるだろう。ボワロー＝ナルスジャックの『悪魔のような女』(五二年)、パトリシア・ハイスミスの『ふくろうの叫び』(六二年)、ルース・レンデルの『ロウフィールド館の惨劇』(七七年)などが例として挙げられるが、典型的なものとしてはタイム・リミットを設定して緊迫感を盛り上げるウイリアム・アイリッシュの『幻の女』(四二年)のような形式もある。

『マリオネットの罠』は、まず冒頭でトラックの運転手が殺される不気味なシーンが描かれ、次いで長野県の茅野の近くにある峯岸家に向かって、フランス留学から帰ったばかりの仏文科の大学院生で二十七歳の上田修一が車を走らせている場面に変わる。

さらに、森の中に浮かび上がる蔦の這うレンガ造りの二階建の古風な洋館の映像になり、さらにカットバックで修一の大学の後輩で恋人の牧美奈子のことが語られる。

修一は指導教官の浅倉久一郎教授から、三ヵ月間峯岸家で住み込みのフランス語の家庭教師をやらないかといわれてやって来たのだが、この洋館に潜む秘密が次第に浮かび上がり、ついには殺人事件が……。

まず、この作品で注目されるのは、映画的な手法が縦横に駆使され、動きのあるスピーディな場面転換で、何か不気味な連続殺人など恐ろしいことが起こりそうな予感を感じさせる点である。

このような独特の雰囲気のある洋館という舞台設定、二転三転の意表を衝くストーリー展開と、あっといわせる結末の意外性は、戦後大きな流れとなった松本清張や水上勉のいわゆる社会派推理小説とはまったく肌合いの違う世界であり、むしろ、『悪魔のような女』や、『めまい』などの映画の原作者ボワロー＝ナルスジャックなどのフランス・ミステリーに近い味わいである。

赤川次郎は『本は楽しい――僕の自伝的読書ノート』（九八年）で、中学三年生の時、『アラビアのロレンス』を観て以来、イギリス映画とフランス映画にのめり込み、仕事として憧れたのは映画監督だったとも告白しているが、こういう海外映画の影響がこの作品に、私は強く感じられてならないのである。

映画だけでなく、氏の教養は、ヨーロッパ的なものに大きく偏っている。ミステリーの愛読書はアガサ・クリスティの名作やコナン・ドイルのシャーロック・ホームズものだし、お好みの作家は、ヘルマン・ヘッセ、トーマス・マン、シュテファン・ツヴァイクなどのドイツ、オーストリア系と、コレットなどのフランスの作家なのだ。

私は『マリオネットの罠』を約三十年ぶりに改めて読み直し、そのアクロバティックともいえるストーリー展開に驚くとともに、フランスのセバスチャン・ジャプリゾというミステリー作家のことを思い出した。

処女作の『寝台車の殺人者』（六二年）から『殺意の夏』（七七年）あたりまで、常に新鮮な衝撃を与えていたこの作家は、第二作の『シンデレラの罠』（六二年）で、一人の登場人物に「探偵で証人で、被害者で犯人」という一人四役を演じさせ、世界をあっといわせた。

設定や筋立てはもちろんまったく違うが、この『マリオネットの罠』もまた、同じように一人四役を演じさせた作品として読めるように思うのである。

『マリオネットの罠』にはジャプリゾの作品の題名と同じ「罠」という文字が使われている。これは単なる偶然の一致だと思うが、「一人四役」という点では、もしかすると、作者の一種の挑戦であったのかも知れないという気がしないでもない。それだけ、この作品には、大胆な趣向が凝らされているのである。

また、この『マリオネットの罠』という題名は、この作品の強烈な結末の意外性をよく物語るもので、その意味でも興味深い。

赤川次郎の方法は、いわゆる社会派推理小説とは一線を画し、「流行を取り入れない、取材をしない」ことをルールとしている。これはショートショートの名手星新一が心がけていた方法で、どんな最新の流行も情報も時代の大きな変化の中ではすぐ時代遅れになり、腐ってしまうという認識に基づいている。事実、松本清張や山崎豊子などごく例外的な希有の才能を持った作家の作品を除いて、かつて情報小説的な意味で注目された作品はほとんどが忘れられている。

これに対して、『マリオネットの罠』を約三十年ぶりに再読しての印象は、時代の流れの中でもこの作品はいささかも古びていないということである。

また、この作品で扱われている古びたレンガ造りの洋館、あるいは異常な連続殺人犯などの設定は、例えば、その後の泡坂妻夫、島田荘司、折原一、綾辻行人などの〈屋敷〉、〈館〉ものにも通じる要素があるようにも感じられるし、異常な連続殺人犯には、アメリカのサイコ・キラーものに共通するものがあると思う。

赤川次郎の優れた作品には、独特のユーモア、常識的な見方を逆転する奇想天外な状況設定、そして独特のサスペンス、ホラー感覚がある。

『マリオネットの罠』は、そういう氏の優れた才能であるサスペンス、ホラーの感覚を見事に発揮した一編であり、代表作の一つといえると思う。

（評論家　二〇〇六年九月記）

本書は一九八一年三月に刊行された文春文庫「マリオネットの罠」の新装版です。

文春文庫

マリオネットの罠《わな》

定価はカバーに
表示してあります

2006年11月10日　新装版第1刷
2020年10月30日　第16刷

著　者　赤《あか》川《がわ》次《じ》郎《ろう》
発行者　花田朋子
発行所　株式会社 文藝春秋

東京都千代田区紀尾井町 3-23　〒102-8008
TEL 03・3265・1211(代)
文藝春秋ホームページ　http://www.bunshun.co.jp

落丁、乱丁本は、お手数ですが小社製作部宛お送り下さい。送料小社負担でお取替致します。

印刷・凸版印刷　製本・加藤製本
Printed in Japan
ISBN978-4-16-726227-3

文春文庫　赤川次郎の本

（　）内は解説者。品切の節はご容赦下さい。

赤川次郎
幽霊列車
山間の温泉町へ向う列車から八人の乗客が蒸発。中年警部・宇野は推理マニアの女子大生・永井夕子と謎を追う――。オール讀物推理小説新人賞受賞作を含む記念碑的作品集。（山前　譲）
あ-1-39

赤川次郎クラシックス
幽霊候補生
〈乗用車・湖へ転落。大学生二人絶望〉と報じる画面に永井夕子の顔が映る。五か月後、宇野警部はある事件を捜査中、件の湖で撮られた写真に、死んだはずの夕子の姿を見つけるが――。
あ-1-41

赤川次郎クラシックス
幽霊愛好会
夫が月に一度、降霊術の集いで「幽霊」になった先妻に会いに行く……友人の告白に驚く永井夕子と宇野警部。案の定その邸宅で、娘が何者かに刺され死亡するという衝撃の事件が！
あ-1-43

赤川次郎クラシックス
幽霊心理学
「殺人」も「凶器」も今日だけは忘れるはずだったのに……宇野警部と永井夕子がレストランで食事をしていると、一家皆殺しの容疑者がすぐそばの席に？　名コンビが大活躍する全五編。
あ-1-44

赤川次郎クラシックス
幽霊湖畔
宇野と夕子が休暇で滞在中の湖畔のホテルで、死体が発見される。その湖の底にはかつての強盗殺人事件で奪われた二億円相当の宝石が？　どこから読んでも楽しめる、好評シリーズ。
あ-1-45

赤川次郎
幽霊記念日
英文学教授の息子の自殺の原因とされた女子大生が、その偲ぶ会の会場となった学園で刺された。学部長選挙がらみの事件で学園中が大混乱に陥った。好評「幽霊」シリーズ第七冊目。
あ-1-16

赤川次郎
幽霊散歩道《プロムナード》
オニ警部宇野と女子大生の夕子がTVのエキストラに出演中、殺人事件と首吊り事件が発生。無理心中か、はたまた真犯人はいるのか？　騒然とするスタジオで名コンビの推理が冴える。
あ-1-17

（　）内は解説者。品切の節はご容赦下さい。

赤川次郎
幽霊劇場
若手女優と間違えられて、人が殺された。彼女の夫の演出家は大女優との恋仲を噂され、大女優は数々の浮き名を流していた。愛憎渦巻く芸能界で、彼女を恨んでいたのは一体誰なのか。

あ-1-18

赤川次郎
幽霊社員
社長夫人殺害嫌疑のOLを救えるのは、事件の夜残業していた〝幽霊社員〟だけ――表題作ほか「週休四日の男」「行きずりの人」「我輩は忠実なり」を収録した「幽霊」シリーズ第十弾。

あ-1-19

赤川次郎
幽霊教会
奇跡の少女・亜里沙を教祖とする新興宗教団体内で殺人事件発生。宇野警部と永井夕子の推理が冴える。表題作ほか「わが子可愛や」「人生相談は今日も行く」「父さん、お肩を……」収録。

あ-1-20

赤川次郎
幽霊恋文
夕子の友人・咲宛てに、不運な死を遂げた恋人から〈近々君を迎えに行く〉と直筆の手紙が届く。早速宇野たちは捜査に乗り出すが…「呪いの特売」「失われた音楽」など全七編を収録。

あ-1-40

赤川次郎
幽霊審査員
あの国民的テレビ番組「赤白歌合戦」で審査員を務めることになった宇野。「何か起る」と夕子が予言した通り、本番の舞台裏で事件が……。「犯罪買います」「哀愁列車」など全七編。

あ-1-42

赤川次郎
マリオネットの罠
私はガラスの人形と呼ばれていた――。森の館に幽閉された美少女、都会の空白に起こる連続殺人。複雑に絡み合った人間の欲望を鮮やかに描いた、赤川次郎の処女長篇。（権田萬治）
あ-1-27